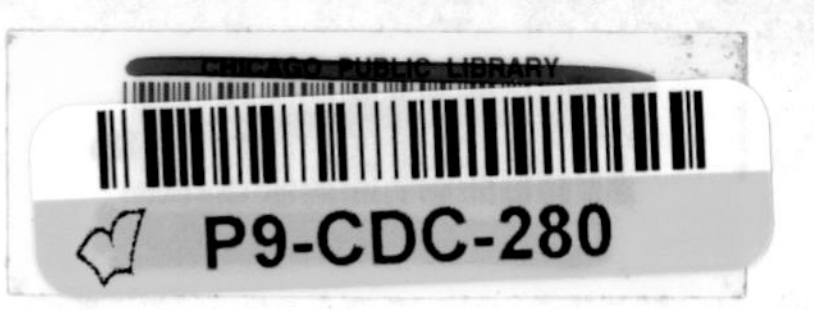

CHICAGO PUBLIC LIBRARY
P9-CDC-280

TODOS LOS SECRETOS DE LA MAGIA AL *Descubierto*

Herbert L. Becker
(EL GRAN KARDEEN)

TODOS LOS SECRETOS DE LA MAGIA AL *Descubierto*

EDITORIAL DIANA
MEXICO

GRUPO EDITORIAL DIANA

PRIMERA EDICIÓN, SEPTIEMBRE DE 1997

ISBN 968-13-3039-0

IMPRESO EN MÉXICO – PRINTED IN MEXICO

Mensaje especial del editor

Lifetime Books se complace en presentar a los lectores de TODOS LOS SECRETOS DE LA MAGIA un capítulo adicional con los trucos de magia terapéutica de David Copperfield. El señor Copperfield ha sido muy amable en proporcionar al editor varios de los trucos que utiliza en los hospitales. Agradecemos la oportunidad de hacerlos llegar a nuestros lectores.

El capítulo de Copperfield está conformado por una sencilla semblanza biográfica de ese legendario ilusionista y por los secretos de magia que ofrece a través de su único y universal programa que lleva el título de Proyecto Mágico.

Recomendamos a nuestros lectores que presencien las ejecuciones que David Copperfield hace de sus famosas ilusiones, tanto en sus giras en vivo como en sus programas especiales de televisión, a fin de que constaten su talento escénico (único e intenso) cuando desaparece la Estatua de la Libertad, atraviesa caminando la Gran Muralla China, vuela por los aires y desaparece un avión.

David Copperfield ha sido muy generoso al permitirnos presentar algo de lo mejor del Proyecto Mágico. Él desea que sus millones de seguidores participen de los secretos de este programa especial.

Disfruten la lectura,

Donald L. Lessne
Editor

Contenido

Prefacio

Muchos magos profesionales, semiprofesionales, aficionados e incluso ocasionales, me han pedido que no publique este libro. En su opinión es mejor que los grandes secretos de la magia sigan siendo justamente eso: secretos. Muchos de ellos creen que los magos perderían su posición ventajosa si cualquier persona, después de leer este libro, descubre cómo se hace el truco.

Sin duda alguna, existen literalmente cientos de libros de magia en todas las bibliotecas y librerías del mundo. Quien los haya leído le dirá a usted que en ellos se explican trucos muy bonitos. Sin embargo, ¿qué pasa con los grandes actos de ilusionismo? No es tan fácil tener acceso a estos actos porque los creadores de la magia no gustan de que los otros magos en general anden por ahí haciendo esos trucos por su cuenta. Estos creadores quieren ser los únicos proveedores de tal magia.

Cuando empecé a hacer trucos de magia, hace muchos años, con el nombre de Kardeen, también yo deseaba ser capaz de realizar los mejores trucos. Pero, ¡qué pena!, un niño de diez años de edad no puede conseguir los manuales explicativos de esas ilusiones, que cuestan entre mil y más de diez mil dólares. En consecuencia, me vi obligado a utilizar los mismos trucos que todos los demás magos jóvenes. ¡Qué aburrido! Imagínese que a mis diez años hubiese podido hacer el zigzag o la caminata a través de un muro de ladrillo. Eso sí habría sido algo bueno. Pero era imposible que yo obtuviera los secretos de esas grandes ilusiones.

Es precisamente por este código de los magos que he decidido incluir en este libro los secretos de los trucos más extraordinarios. Pienso, en verdad, que no es en el truco sino en su presentación donde radica la gran magia. Cuántas veces hemos visto la misma película o el mismo programa de televisión y lo seguimos disfrutando, aunque sepamos cómo va a terminar. Es el goce del espectáculo, es la presentación, lo que en realidad nos complace.

El secreto de la magia estriba en la presentación, no en la parte mecánica de la ilusión. Todos los libros infantiles que leí sobre el tema se referían únicamente a los trucos, al procedimiento mecánico que se desarrollaba de una manera especial o secreta. Antes de darme cuenta de lo que estaba haciendo, empecé a crear todo un espectáculo en torno de esos mismos trucos. Es el espectáculo lo que diferencia a un mago de un simple ejecutante de trucos de magia. Yo prefiero considerarme como un ejecutante que empezó a hacer magia, y no como un mago.

Al preparar este libro, he tratado de no dejar afuera nada que pudiera dificultar a las personas la lectura de los efectos y sus instrucciones particulares. No tenga temor de imprimir su propio estilo en todos los procedimientos que realice. Haga suyo el acto y brinde a su público una función magnífica.

Cuando lea sobre los magos célebres, no olvide esto: todos empezaron igual que usted. De jovenzuelos, enfrentaron el reto de provocar el asombro de los demás. Los pocos ejecutantes que han tenido éxito, han luchado contra la ignorancia de los agentes encargados de obtener contratos y de las compañías dedicadas a la administración de talentos que todavía clasifican la magia como un acto de variedades. Es natural que en los programas nocturnos de entretenimiento que ofrece la televisión se presenten cinco comediantes en una misma noche, pero jamás verá usted más de un mago al mes. La magia no se ve tan a menudo por el talento que requiere su ejecución. No es necesario tener muchas habilidades para contar chistes o cantar una melodía, pero se requieren muchos años de práctica y una buena suma de dinero para ejecutar las grandes ilusiones.

Muchos ejecutantes de magia se desalientan tanto al seguir el camino de las agencias y la administración que deciden buscar por sí mismos los contratos y ser sus propios gerentes. De hecho, supongo que el 99% de los ejecutantes de magia se autoadministran y acuerdan sus propios contratos. Esto, por desgracia, puede ser como el beso de la muerte para ellos. Los cantantes cantan, los bailarines bailan, los magos ejecutan. Los administradores administran.

Como leerá en la introducción, si usted puede realizar bien los actos de magia, concéntrese en ella y delegue en otros la administración. Quizá al principio la autoadministración sea el único camino. Sin embargo, espero que llegado el momento cuente con un verdadero administrador. Si tiene mucha suerte, tal vez usted adquirirá tanta habilidad para autoadministrarse que estará en duda si necesita o no a otra persona, pero a la mayoría de la gente le resulta difícil ser su propio administrador. De cualquier modo, trabaje con gran ahínco en su acto y su presentación y deje el aspecto administrativo en el segundo plano. En efecto, le será muy difícil encontrar una agencia que le represente, pero no se rinda. Haga que la agencia descubra lo mucho que usted puede hacer por ella.

En realidad, el modo de triunfar en el negocio del espectáculo, pues es allí donde los magos nos ubicamos, consiste en que sepa integrar un equipo adecuado en torno a usted. Este equipo hace un mundo de diferencia. Trabaje en su acto... y trabaje aún más para encontrar un buen administrador.

Conforme lea este libro, trate de entender que la magia es el arte de la representación, y que cuando esté realizándola, debe hacerla con todo su corazón. Así de sencillo.

Un recordatorio: las instrucciones y secretos para hacer los trucos de este libro no deben considerarse como la única manera de presentarlos. Hay tantas formas de ejecutarlos como magos. Yo le confío los secretos tal como los conozco personalmente o como los he realizado.

¡Disfrútelos!

Herbert L. Becker

Nota: Herbert L. Becker actuaba con el nombre de El Gran Kardeen.

Agradecimientos

Este libro no estaría completo sin la ayuda y guía de muchas personas. Las siguientes son sólo algunas a quienes deseo agradecer en esta oportunidad:

David Copperfield, Gary Ouellet, David Bohem de Sterling Publishing, el Payaso Bozo, Gene Wright, el *Libro Guinness de los récords,* Sid Lorraine, John y Sally Paolucci, Johnny Carson, Lorraine Becker, Randi, Adam, Brian y Jessa.

A la memoria entrañable de Burling Volta Hull y Walter Gibson.

Agradezco especialmente a los editores David Kohn y Brian Feinblum, a la ilustradora Joann Carrera y al muy colaborador personal de Lifetime Books. El editor Don Lessne también merece el crédito por haber tenido la visión de publicar este libro.

Gracias a todos cuantos el espacio me impide incluir aquí.

Su ayuda y guía, en todo momento, me trajeron hasta esta parada especial en la jornada de mi vida.

A Shelly

Gracias por tu estímulo,
tu amor y tu amistad.
Es por tu inspiración
que este libro ha cobrado existencia.

Introducción

Acaba usted de dar el primer paso para entender el mundo de la magia y la ilusión. En las páginas de este libro se hallan los secretos más profundos de la magia moderna. Sin duda, sentirá curiosidad y deseo de ahondar en el texto y leer acerca de sus trucos favoritos. Antes de hacerlo, sin embargo, hay algunas cosas que le conviene saber. Las ilusiones han sido agrupadas bajo el nombre del mago que las integró como parte importante de sus actuaciones. Por ejemplo, la mayoría de los magos realizan el truco llamado cómo eslabonar anillos, pero ninguno lo ha hecho de modo tan memorable y efectivo como el mago citado en este libro.

La mayoría de las ilusiones que serán descritas en este libro pertenecen al tipo de los grandes escenarios; los magos más grandes las ejecutan en escenarios de gran dimensión. Algunos de los trucos, como el de "¿dónde quedó la bolita" del gran Houdini, pertenecen a la categoría de magia de salón o de "acercamiento". Realizar este truco exige habitualmente mucha creatividad, no importa el tamaño del escenario.

Ejecutarlo, sin embargo, requiere de un toque de individualidad. La mayoría de las ilusiones han sido realizadas por el autor, por medio de estos métodos, y él no intenta divulgar los secretos propios del mago. Puesto que, en general, en la magia no existen ni derechos de propiedad ni patentes, los secretos de una misma ilusión pueden ser muy distintos. Igual que las canciones, una ilusión puede ser reinterpretada de tal manera que ya sólo le pertenezca a usted, por el simple hecho de que nadie más que usted podría ejecutarla así. Cada mago tiene una forma única y especial de crear el secreto de cada una de las ilusiones. Este libro muestra tan sólo una de las muchísimas formas de presentar cada truco.

Cuando yo era joven, Burling Volta Hull me hizo entender que existe una amplia variedad de respuestas al acertijo planteado en cada ilusión. Hull, un maestro de la magia, creó y realizó una parte de la mejor magia de todos los tiempos y me enseñó a perfeccionar la mía. Fue amigo de Houdini, Dunninger, Thurston, Blackstone y muchos otros, y yo dediqué mucho tiempo a hurgar en sus baules repletos de trucos. En una ocasión, Hull me mostró diez maneras distintas de ejecutar una sola de sus ilusiones. Asombrosamente, cada una de las variantes producía el mismo resultado.

De hecho, la mayor parte de las ilusiones incluidas en este libro han sido ejecutadas millones de veces por varios cientos de magos en todas partes del mundo. Aun así, la gente se reúne para ver a sus magos favoritos haciendo los mismos trucos, sin importar qué tan conocidos puedan ser éstos.

Si usted desea ser mago, deduzca de esto que las mejores ilusiones del mundo entero bien pueden ser las suyas, pues podrá recrearlas de manera única e inigualable, como lo es su huella digital. No obstante, imprimir a un truco el sello personal no es algo que pueda lograrse en una sola tarde. Primero debe estudiar bien el acto para aprender todo lo relativo a éste hasta que sea como una parte de usted mismo, como su mano derecha. Debe conocerlo por dentro y por fuera. Después podrá darle su toque único y personal.

A Burling le complacía burlarse de otros magos. Le gustaba ver cómo trataban de entender su forma de hacer tales milagros. Creo que, aún hoy, muchos magos se ocupan tanto de engañarse los unos a los otros que olvidan la forma de engañar al público. Usted debe trabajar continuamente para provocar el asombro del auditorio, y no dejarse atrapar por el afán de hacerles triquiñuelas a los otros magos. Si una ilusión se complica demasiado o resulta engorrosa, quizá usted pierda a su público. Si esto ocurre, ya puede empezar a buscar trabajo en otra especialidad.

Hasta el más sencillo de los trucos, como el pendiente francés, seguirá sorprendiendo al público si es ejecutado con clase. Hace poco lo practiqué por televisión; el anfitrión quedó totalmente impresionado y me pidió que lo hiciera de nuevo. Como decidí no hacerlo, él y los televidentes quedaron deseosos de ver más magia. El pendiente francés es un acto de prestidigitación en el cual el mago desaparece una moneda u otro objeto pequeño. Muestra la moneda en una mano y después simula llevársela a la otra. Luego, de algún modo invisible y mágico, la moneda regresa a la mano donde estaba inicialmente o aparece en la oreja de algún espectador, quien por lo común está sentado cerca del ejecutante. He realizado este truco desde hace veinte años y todavía hoy me agrada la reacción que produzco en la gente.

Por ejemplo, cuando comencé a hacer el escape de una camisa de fuerza (véase el capítulo acerca de Kardeen), lo realizaba de la misma forma que todos los demás magos. Como se trataba de un escape lento, decidí que sería mejor hacerlo con rapidez; llegué a hacerlo tan rápido que se convirtió en un nuevo acto, gracias al cual me volví famoso. Pronto, en todo el mundo me veían hacer el escape de la camisa de fuerza. Como el público respondía de manera positiva a mi forma tan especial de hacer el truco, muchos otros magos compraron camisas de fuerza y copiaron mi método. Todavía hoy, algunos se me acercan y se jactan de poder hacer este escape más rápidamente que yo. No obstante, ningún otro mago alcanzó la fama que yo por este truco en particular.

¿Por qué? Porque yo logré hacerlo mío. De alguna manera se ajustó a mi personalidad (e imprimir la personalidad de uno a los actos es el verdadero secreto de la magia). Los magos que alardean de escapar de la camisa de fuerza más rápidamente que yo han perdido de vista el punto más importante. La magia no es una competencia, sino una actuación, y ésta es la que cuenta en realidad.

Doug Henning lo demostró. Muchos magos habían hecho el zigzag antes que él. Cuando Doug lo hizo, el mundo se fijó en él porque lo actuó con un estilo nunca antes visto. Cuando Harry Anderson, estrella de la televisión, comediante y mago, sorprende a alguien con sus trucos, lo hace al mismo tiempo que cuenta algún chiste u ocurrencia. A menudo, el truco en sí mismo no es muy divertido, pero Harry Anderson sí lo es. Ese es su estilo. David Copperfield tiene otro concepto de la magia. Él añadirá su magnífica teatralidad aun a los más pequeños trucos de salón, tal como lo hace con sus ilusiones de gran espectacularidad, que tanto gustan al público cuando las ejecuta.

El auditorio percibe si el mago no ha logrado hacer realmente suyo un truco o no le ha conferido su personalidad. Con frecuencia estos ejecutantes son los primeros en comprar los trucos nuevos, para después repetir como loros el guión adjunto, palabra por palabra. Hasta las personas que no son magos perciben el acartonamiento de esas palabras, pues éstas no van de acuerdo con la personalidad del mago. Son de otra persona. Para llegar a ser un verdadero mago, usted debe hablar con sus propias palabras y proyectar su personalidad; así, seguramente se convertirá en un ejecutante que realiza maravillas, y no en un mero espectador alrededor del cual ocurren maravillas.

Siempre que veo un catálogo, un libro o una revista de magia, los anuncios realmente me disgustan. Éstos publicitan y promueven trucos bajo el nombre del mago que les dio fama. Así, algunas pobres almas corren a comprar el truco y después se preguntan por qué la "magia" no opera igual con ellos. Reitero, es la actuación, la ejecución, y no el truco lo que provoca la magia.

Muchísimos ejecutantes se escudan detrás de la música al realizar un truco y se limitan a gesticular por todo el escenario. Este método termina convirtiéndose en una excusa para no actuar en escena. Recuerde: antes que nada usted es un actor, un intérprete escénico. ¿Cuántos artistas de la mímica o magos mudos han llegado a ser realmente inolvidables? Si Houdini no hubiese hablado durante su carrera, quizá hoy no lo conoceríamos. Todo su espectáculo se basaba en su habilidad para crear expectación con sus palabras... y lo hacía muy bien. Mi amigo Burling Hull me dijo una vez que Houdini era un mago malísimo. Era incapaz de hacer las cosas con delicadeza; sin embargo, su charla hechizaba al público.

No obstante, para llegar a ser en verdad un gran ejecutante, es necesario hacer la representación... con frecuencia. Este enunciado puede parecer obvio, pero es preciso decirlo. Cuando salgo de viaje, conozco magos poseedores de cientos de accesorios de magia que rara vez utilizan. La mayor parte del tiempo, dicen, no los usan porque quien los contrata no les paga lo suficiente.

—¿Por qué esforzarse si sólo me pagarán cincuenta dólares por esta actuación? —me dicen. No vale la pena que me desplace con todos mis accesorios caros para hacer un espectáculo del que sólo obtendré cincuenta dólares.

—¿Entonces para qué compraste todo este equipo? —les pregunto.

Les digo que, si no quieren trabajar, no deberían molestarse en comprar equipo. Si quieren ser ejecutantes, deben hacer su representación. Y usted deberá hacerla también. Actúe todo el tiempo, en toda ocasión y por cualquier paga. Cuando sea lo suficientemente hábil podrá cobrar más dinero. Pero si no actúa, jamás llegará a ser lo bastante bueno.

¿Puede usted imaginar una banda de *rock* que se niegue a actuar porque, si la aceptaran, los músicos tendrían que llevar todos sus instrumentos? Éstos cuestan mucho dinero, pero la banda no puede presentarse sin ellos. Los comediantes gastan tiempo y dinero en materiales. Si no actuaran, ¿podrían seguir comprando todos esos artefactos?

Hace poco, un amigo me contó de un mago-payaso que compró accesorios con un valor de 16 mil dólares, pero que no sabía cómo usarlos. Mi amigo quería saber, en realidad, si yo estaba dispuesto a enseñarle a este mago a realizar sus nuevos trucos. Este pseudomago viaja en sentido contrario. Lo importante no es el truco, sino la ejecución.

Como sea, usted debe revisar constantemente esa ejecución. No debe permitir que su acto permanezca sin modificaciones por mucho tiempo. Por mi parte, siempre estoy pendiente de la industria de la música para hallar las vías de mejorar mi acto, puesto que los músicos parecen estar en el filo de la navaja de lo que es y lo que no es. En el decenio de los setentas, por ejemplo, músicos como Kiss y David Bowie usaban máscaras y maquillaje y sus funciones eran muy complicadas. En escena se transformaban en gente distinta a la que eran realmente y sus espectáculos se convertían en un recorrido misterioso por medio de la escenificación y el guión.

Sin embargo, en los noventas, con el ex Beatle Paul McCartney abriendo camino, muchas bandas tocan cerca del público, con una luz muy tenue o en un escenario pequeño, lo cual significa, sin duda, un enfoque mucho más natural.

Los magos no parecen haber notado el cambio. En otras épocas sí estaban siempre al pendiente de eso. Cuando Doug Henning entró en escena vestido con unos pantalones de mezclilla y una camiseta, pensé que el esmoquin ya se había convertido en una reliquia del pasado. Y así fue hasta fechas recientes. Ahora parece haber regresado, pero eso no es razón suficiente para usarlo. Ninguna otra personalidad del negocio del espectáculo podría actuar luciendo esa vieja indumentaria de etiqueta. David Letterman no podría actuar noche tras noche enfundado en un elegante esmoquin. De cualquier manera, los magos se conceden valor en forma recíproca sólo por el hecho de usar esa vestimenta agotada y formal.

De aquí se deduce una lección: no se ocupe usted mucho de los demás magos. Uno de mis motivos de enojo es ver que algunos preparan sus trucos para otros magos. Cualquiera pensaría que ellos mismos son el público más difícil de complacer, pero en realidad son el más dócil. Todos son como miembros de la misma familia: quieren que usted triunfe. Aplaudirán todo lo que usted haga. Si quiere conocer un público difícil, trate de presentar su espectáculo ante el público de un concierto de *rock*. Este público, por lo general, estará algo ebrio, intoxicado o al menos perdido en otro planeta. Quiere música, no magia. Es una multitud dura e inmisericorde, y superar la prueba significa un gran truco en sí mismo.

Una vez que haya iniciado sus presentaciones, trate de variar un poco, pero no necesariamente en los trucos, sino en su modo personal de presentarlos. Alguna vez solicite la ayuda de un miembro del público para el acto de eslabonar anillos. En otra ocasión quizá logrará mejores reacciones si actúa sin asistencia alguna. La única forma de aprender qué es lo que funciona mejor es el método de los tanteos. Trate también de variar el tono de la presentación de cada rutina. Intente hacer comedia algunas veces y preséntese con seriedad en otras ocasiones. Esto no siempre funciona. No siempre sale bien. Pero si no lo intenta, nunca lo sabrá.

Trabajar con el público también es un arte. Nunca se sabe si la multitud será participativa o silenciosa, si estará triste o seria. Sea como sea, trate siempre de interactuar con ésta, si tal es el estilo de usted. Para inspirar mi forma de trabajar con el público, me gusta ver a los comediantes o a los anfitriones de los programas de comentarios. Ellos casi siempre establecen una relación estrecha con su público. Una alianza que les permite hacer un espectáculo más fluido y entretenido. Entretener al público, por supuesto, es el objetivo, y lograr que la multitud le reconozca como una personalidad es un paso maravilloso en el camino para lograrlo.

De hecho, el intercambio entre el ejecutante y una persona del público provoca que el espectáculo sea bueno de por sí. Cuando es así, otros miembros del público se pueden identificar del todo con el espectador elegido, como si ellos mismos fueran los que hablaran con el mago. Cuanto más público disfrute de esa conversación, más gente estará contenta con el mago. Por supuesto, cada espectáculo será distinto, pues nunca se sabe de qué hablará el público o qué respuestas dará a lo que usted le diga.

Los magos aficionados se preguntan, en general, por qué pueden hacer un espectáculo de magia agradable ante un pequeño grupo de amigos, pero no ante un público grande.

La razón es muy sencilla: entre su pequeño círculo de amigos, se sienten seguros, pero cuando se trata de un público extraño no saben cómo relacionarse con él. Este problema es muy común entre todos los artistas y otras personas que se presentan en un escenario, y no sólo entre los magos. La solución consiste en tratar al público en general como si fuera un grupo de amigos, como si usted conociera personalmente a cada miembro del auditorio. Hablar con el público como si se estuviera en una reunión de amigos generará comodidad en la gente y también en el mago.

Una vez que esté en escena, asegúrese que su espectáculo tenga fluidez entre un truco y otro. No trate de hacerlo todo a la vez. Haga los trucos de palomas, luego los de conejos, más tarde los de sedas, luego los de sogas y después los de cadenas. Es mejor hacer pocos trucos, bien hechos y presentados en la secuencia correcta, que hacer muchos y tratar de comprimirlos en un tiempo muy corto. Asimismo, no conviene hacer trucos muy complicados o incómodos, pues puede terminar perdiendo a su público. Si esto llegara a ocurrir, podría convenirle buscar otra ocupación.

Trate de imponer su ritmo y el de su acto. Si puede grabar en video sus presentaciones, hágalo. Después estudie las cintas para identificar sus imperfecciones y sus mejores momentos. Practique para erradicar las fallas. Si a usted no le gusta cómo hace un truco, tampoco le gustará a su público. Cuando vea la cinta, escuche la respuesta de la gente. Si no aplaude, busque la razón y corríjala. De hecho, una cámara de video es una buena inversión. Grabe cada uno de sus espectáculos y examínelos. Feche las cintas y archívelas.

El lugar de su presentación requiere también de una rigurosa atención. Éste debe tener el equipo necesario para que usted brinde su mejor actuación. Para estar seguro de que será así, visite siempre el lugar con algún tiempo de anticipación (y verifique que todo se esté preparando de acuerdo a sus necesidades). Recientemente me contaron sobre un mago al que habían contratado para realizar el escape de una camisa de fuerza a fin de promover el espectáculo de una casa embrujada. Cuando llegó al escenario listo para actuar, los dueños no estaban allí. Finalmente aparecieron... pero demasiado tarde. No habían dispuesto el lugar adecuado para él y dejaron al mago esperando. Luego empezaron a llegar los medios de comunicación, pero pronto se decepcionaron al notar que los dueños no los recibían. A la postre se marcharon, y también el mago sin haber actuado siquiera.

Nunca deje que la responsabilidad de las luces, el sonido y el telón recaiga en el lugar donde se va a presentar. Tan pronto como le sea posible, consiga usted su propio equipo. A pesar de que el costo es alto, tendrá la seguridad de que su actuación contará con todos los efectos deseados. Trabajar con telones o luces inadecuados puede ir en perjuicio de su actuación. Esta precaución es especialmente adecuada si sus trucos necesitan de un telón especial para su buen funcionamiento. Contar con equipo propio resulta más caro pero incrementa gradualmente su capacidad de defender su imagen profesional.

Su dinero será bien gastado. Recuerde que la buena paga llegará a los magos que logren buenas actuaciones. Tenga esto presente: su imagen, el espectáculo en general y su presentación son los productos que usted vende a los compradores de entretenimiento y a su público. Según Forbes, David Copperfield ganó 55 millones de dólares entre 1993 y 1994. También usted puede ganar mucho dinero en este negocio si lo aborda como tal.

El primer paso para convertirlo en un negocio es leer todo lo posible sobre mercadotecnia, publicidad, promoción y administración, pues así entenderá por completo en qué consiste su negocio (del espectáculo). No importa lo bien preparado que esté, necesitará ayuda para vender tanto su espectáculo como su imagen. Para eso es indispensable tener un agente, o tal vez dos. Los agentes trabajan, en general, para una agencia de entretenimiento (o son dueños de la misma). Cada agencia tiene una lista donde están registrados muchos artistas. Quizá usted sea uno de los cinco, diez o incluso más magos incluidos en esa lista.

La agencia hará sus propias campañas publicitarias anunciándose a sí misma como una empresa que brinda un servicio completo de entretenimiento. Sugerirá a algún mago inscrito en su lista cuando alguien le pida un espectáculo de magia. Si usted está registrado en la agencia, ésta cobrará el 10 o el 15% de sus honorarios como paga por haberle incluido a usted. Regístrese en varias agencias. Cuantas más conozcan su nombre, más probabilidades tendrá de que le llamen.

Si puede contratar un buen agente personal, mejor. Si no puede hacerlo, todavía hay esperanza. Si carece de representante... invéntelo y déle un nombre distinto. Sea usted mismo ese agente con nombre ficticio. ¿Por qué el otro nombre? Porque es más fácil que el representante personal consiga el trabajo, que si es usted mismo quien se representa abiertamente.

Si actúa con otro nombre podrá convencer más fácilmente a los posibles compradores al momento de hablar de sus propios talentos. Conozco a muchos artistas que durante toda su carrera han tenido representantes ficticios. Después de todo, la mayoría de la gente nunca conoce al "agente", pero recibe faxes, cartas y llamadas telefónicas de ese otro usted. (Usar otro nombre para usted cuando actúa como el "agente" puede salvarlo de la necesidad que otros magos tienen de inventarse un nombre artístico. Los nombres artísticos no son muy buenos. Suenan falsos y acarrean problemas al momento de cambiar cheques a un nombre que no sea el suyo.) Lo mejor de ser su propio agente es que nunca tendrá que pagarle a otro por el trabajo que hace usted mismo.

Con franqueza, sin embargo, la mayoría de los artistas están más cómodos cuando es otro quien se encarga del trabajo administrativo y de representación. Cuando usted sea lo suficientemente bueno, podrá solventar el gasto de contratar a alguien y que otros le consigan los contratos.

Hágalo así. La contratación y la actuación son dos tareas diferentes y la mayoría de los magos no puede hacer ambas de manera adecuada.

Otro aspecto de la venta de su espectáculo y su imagen es la publicidad y las promociones. Si no puede atraer la atención de los mejores lugares mediante anuncios por televisión y radio, no espere obtener buenos contratos. Recuerde: sólo los buenos contratos de calidad generan cheques de paga de calidad. Para su publicidad, recorte y guarde todo lo que se escribe sobre usted. Permita que la prensa sepa dónde está actuando. Ningún espectáculo es tan pequeño como para que la prensa no esté presente.

Promoverse, sin embargo, no es barato. La totalidad de la promoción puede terminar costando casi tanto como su actuación. Si se vale de fotografías o de su biografía, el paquete debe ser preparado profesionalmente. Por lo común, este será el primer punto que el comprador observará. No lo contratarán a menos que usted sea un ejecutante de primera clase. Muchos magos descuidan tan importante renglón del espectáculo en conjunto.

Por cierto, los videos de sus actuaciones serán una buena herramienta de promoción y ventas. Si alguien desea ver su actuación, tan sólo envíele un duplicado de la cinta. Nunca mande el original porque a veces esas cintas no le son devueltas.

Aun así, ni toda la organización ni todo el conocimiento del mundo sobre su negocio hará de usted un mago exitoso si no perfecciona su arte. La medida de un verdadero artista es su actuación. Todo lo demás es secundario. Recuerdo que unas personas me contaron sobre un gran acto de magia que presenciaron mientras estaban de vacaciones. Los magos hacían aparecer y desaparecer leones y tigres durante la función.

—¿Quiénes eran los magos? —pregunté.

—No sabemos —fue la respuesta—, pero la mordedura del tigre fue grande.

La mordedura del tigre se convirtió en lo inolvidable del acto. No se esconda usted detrás del escenario, de los trucos o de la magia. Salga a escena e hipnotice a su público. Recuerde: el truco es importante, pero lo que en verdad cuenta es ser un artista, ser la parte de la función que la gente va a recordar. Este es el papel principal de su actuación y es también la expresión fundamental del arte de los magos.

David Copperfield

el mejor mago de todos los tiempos

Quizá sea el ilusionista más importante de su época, un innovador que ha contribuido a redefinir el oficio. Se ha ocupado de la magia y la ha convertido en una forma artística, y ha tomado esa forma artística y la ha convertido en un espectáculo escénico, de una manera que jamás se había visto antes. La magia de Copperfield se ha traducido en un éxito de taquilla. Este "hombre mágico" —el magistral hombre-espectáculo— ha llevado el arte y el negocio del ilusionismo a nuevas alturas.

Hollywood Reporter
1994

Este libro no estaría completo si hubiese desatendido la inclusión de David Copperfield en sus páginas.

David nació el 16 de septiembre de 1956 en Metuchen, New Jersey. "Justo al acabar el dieciséis", suele decirle a la gente. Hijo único de los señores Hyman y Rebecca Kotkin, el joven David Seth Kotkin ya actuaba a los diez años de edad. Sus padres, propietarios de una tienda de ropa para caballeros, fueron un gran auditorio cautivo para el bisoño mago.

Un día se dirigió a una tienda de artículos de magia en Nueva York, pues estaba convencido de que alcanzaría la fama y la fortuna con un muñeco de ventrílocuo. Estando en la tienda, se sorprendió con la enorme colección de trucos y libros de magia. Mientras el dueño ejecutaba algunos trucos ante sus clientes potenciales, David estaba completamente subyugado. Este asunto de la magia era bastante más fabuloso que un maniquí parlante, pensó para sí mismo. De este modo acababa de engancharse. Decidió convertirse en el siguiente Houdini, decidió que sería mago.

David leyó cuanto pudo sobre magia y magos. Construyó o compró todos los trucos que pudo hallar. Iba a ver a todos los magos que se presentaban en su zona. Fue absorbido en forma total por el mundo de la magia.

David sabía que el mundo del espectáculo sería su vida. Había pensado ser un bailarín como Gene Kelly o un productor como Walt Disney u Orson Welles. Él decía: "Si en la actualidad ya no me dedicara a la magia, me iría al lado de la producción del negocio". A sus escasos diez años, ya sabía que sería famoso en una u otra actividad.

A los doce ya se había vuelto un profesional y cobraba 5 dólares en sus actuaciones de magia. A los dieciséis se había acercado al Departamento de Drama de la New York University y había solicitado permiso para impartir un curso sobre el arte de la magia, el drama y la desorientación.

Al principio, el joven mago se hacía llamar Davino, pero cuando el periodista neoyorquino Barry Cunningham y él, por entonces adolescente, se conocieron en una convención de magos, Cunningham sugirió al joven mago que cambiara su nombre por el de David Copperfield. "Simplemente sonaba bien", dice él.

El interés que mostraba David por los diversos aspectos del espectáculo se intensificó durante su adolescencia, cuando se encaminaba a Manhattan y se colaba a los teatros durante los descansos para estudiar el medio.

"Me introducía a hurtadillas a los espectáculos y vagaba por ahí con Ben Vereen para ver la obra de Bob Fosse", dice Copperfield. "Mucho de lo que hago surge de mi amor por el teatro."

Cuando David tuvo edad suficiente para asistir a la universidad, bastaron unas cuantas semanas para que abandonara sus estudios. De hecho, asistió a la escuela sólo para complacer a sus padres. Él deseaba dedicarse de lleno a hacer magia.

Con la adición del nombre mágico "Copperfield", salió en pos de las candilejas. Obtuvo un papel en *The Magic Man* (El mago), un espectáculo producido en Chicago, en el cual David no sólo presentaba actos de magia sino también cantaba, bailaba y actuaba. Amaba los grandes escenarios. Tenía todos los rasgos típicos de un joven de dieciocho años.

Fueron las representaciones teatrales de *The Magic Man* las que inculcaron en él una nueva forma de actuación, que ya no era rígida y formal, como antes se acostumbraba. En lugar de ello, hizo de cada truco un pequeño espectáculo con valor en sí mismo. Entre una ilusión y otra, David hacía gala de su personalidad. En estos interludios se desprendía de la caracterización de mago y charlaba con su público.

"Aprendí que lo que la gente quería era ver algo natural, más relajado, así que en el escenario le di prioridad a eso y las cosas comenzaron realmente a despegar."

A partir de entonces, se embarcó en la tarea de convertirse en el mejor mago del mundo. Aunque muchos han intentado ser el mejor, como Doug Henning o Mark Wilson, sólo Copperfield ha alcanzado tan encumbradas alturas.

Un productor de televisión llamado Joe Cates oyó hablar de David y de su actuación en *The Magic Man* y convenció a la cadena ABC de incluirlo en un espectáculo para promover su siguiente temporada. Ese programa especial, llamado "The Magic of ABC, starring David Copperfield" (La magia de ABC, con la actuación estelar de David Copperfield) fue un momento definitivo, y la difusión que allí recibió David fue precisamente el vehículo que necesitaba para impulsar su carrera.

Sus espectáculos comenzaron a incorporar música de *rock* en sus rúbricas. En la actualidad, ya sea Phil Collins o Peter Gabriel, el *rock* sigue siendo parte esencial del espectáculo de David.

Su siguiente paso decisivo fue el contrato que firmó con la CBS, en el cual se establecía que David Copperfield tendría su propio programa especial de televisión. Ahora podría realizar magia de acuerdo con la forma en que él deseaba presentarla. A partir de su primer espectáculo con la CBS, David ha hecho otros quince programas especiales con esa cadena de televisión.

Ahora David se muda a otro terreno. Su programa especial de televisión con CBS correspondiente a 1994 fue una retrospectiva de sus primeros quince programas y presentaciones.

Muy poco se imaginaba él, en los inicios de su carrera, que a los 37 años estaría imponiendo enorme respeto en el negocio del entretenimiento y que ganaría la colosal cifra de 55 millones de dólares entre 1993 y 1994 (según datos de *Forbes Magazine*). Sobra decir que ningún otro mago jamás había ganado tanto dinero en un solo año. En realidad, él comprende que compite en el mismo terreno del espectáculo que gente como Madonna, Janet Jackson o Phil Collins. Harry Houdini nunca ganó ni la décima parte de ese capital en toda su carrera.

Durante más de una década ha realizado giras de por lo menos 48 semanas cada año y a menudo se ha presentado dos veces en un solo día. La invasión de Copperfield en Europa, en el otoño de 1994, se realizó mediante estancias en teatros, cuyas localidades se agotaron, en París, Londres, Milán, Viena, Zurich y otras importantes ciudades. El año anterior había realizado una gira por Alemania que rompió una marca con dos meses y 115 presentaciones, que sumaron en bruto 35 millones de dólares. Sin embargo, las agendas agotadoras parecen estimular a Copperfield. Según él mismo afirma, es un perfeccionista y siempre trata de adaptarse a los deseos de su auditorio. "Jamás estoy satisfecho y siempre trabajo y vuelvo a trabajar en lo que hago", asegura. "Ha sido un proceso ininterrumpido."

Tras bambalinas, David cuenta con toda una compañía administrativa. Aunque él no tiene un agente específico, su compañía administrativa es mucho mejor de lo que cualquier agente podría llegar a ser.

La transportación entre ciudades se realiza mágicamente con la ayuda de tres autobuses de lujo y tres camiones de remolque de 16 metros de largo. Cada uno de los enormes remolques ostenta el nombre y fotografías de David, que alcanzan más de tres metros de altura, de modo que ninguno puede perderse el paso de la compañía mientras viaja por las carreteras.

A David el éxito no se le ha subido a la cabeza. Obviamente acostumbra viajar en primera clase y en limosinas, jets privados y demás, pero también, en casi todas sus actuaciones, accede a firmar autógrafos en sesiones especiales después de la función. Algunas personas del público reciben un autógrafo y a menudo pueden tomarse fotos con él.

Parece que David siempre tiene tiempo para platicar con alguno de sus jóvenes seguidores que lo acompañan hasta su automóvil después de una noche de actuación. Presenta hasta quinientos espectáculos al año y recorre miles de kilómetros para ello. Gana millones de dólares con su trabajo y tiene muy poco tiempo para cualquier tipo de actividad ajena a su carrera. Muy pocas estrellas de su calibre, si no es que ninguna, trabajarían tanto para complacer a su público.

"David es el maestro del ilusionismo en el mundo, un hombre-espectáculo increíble", dice el presidente de espectáculos de CBS, Peter Tortorici. "Es más carismático e imaginativo de lo que puede uno creer y se vincula de manera increíble con su auditorio."

La parte más sorprendente de su *show* es su habilidad para presentar espectáculos. Cuando estuvo en Orlando, Florida, en su gira de 1994, su acto final consistió en hacer que nevara dentro del teatro. El relato que contó David mientras ejecutaba esta ilusión cautivó al público. Personalmente, yo desearía verlo materializar la arena de una playa en un teatro de Nueva York en alguna de sus presentaciones durante el mes de enero. Pero, por otra parte, ¿quién querría salir de un teatro cubierto de arena?

David provoca sentimientos mientras realiza lo insólito con magia muy variada. Hizo que la Estatua de la Libertad desapareciera ante la televisión nacional. La Estatua de la Libertad es, por mucho, una de las ilusiones más celebradas que ha ejecutado David Copperfield. Tal como lo vieron millones de personas por televisión, o directamente quienes estuvieron presentes en el lugar, la estatua se veía claramente iluminada contra el cielo nocturno, tanto por las luces de los proyectores enfocados sobre ella como por un anillo de lámparas instaladas en su base. Los miembros del auditorio estaban sentados en un estrado frente a una cortina. De pronto la cortina se cerró. Cuando volvió a abrirse, la estatua ya no estaba ahí, en tanto que los proyectores seguían esparciendo la luz y el anillo de lámparas continuaba también en su sitio. Arriba rondaba un helicóptero, pero no había ninguna estatua a la vista. Poco después la cortina se cerró nuevamente. Esta vez, cuando volvió a abrirse, la estatua había regresado a su sitio.

Ahora ha incorporado en su espectáculo su ilusión del "vuelo". En este truco, David flota sobre el escenario y vuela por todos lados. Incluso lo hace con una joven dama entre sus brazos, quien interpreta, de este modo, la Luisa Lane de Superman. A la multitud esto le fascina. Para mí, el vuelo es como desaparecer la Estatua de la Libertad al final de cada actuación.

En mi infancia solía ver Peter Pan, y me sorprendía observar que no sólo Peter Pan volaba, sino también Wendy y los demás. Yo trataba de tener buenos pensamientos y brincaba desde mi cama, pero nunca pude volar. David Copperfield es aún lo suficientemente joven para volar como Peter Pan.

David ha perseverado. Él afirma que el secreto de su éxito ha sido "considerar que nada es imposible, y luego empezar a ensayar posibilidades y probabilidades".

Hace poco, al final de una noche en que presentó dos espectáculos, con una limosina esperándolo y un jet listo para llevarlo a Nueva York, David se iba de Orlando y se preparaba para pasar algunos días de descanso y relajamiento. Se detuvo a firmar varios autógrafos para unos cuantos jóvenes seguidores. Por último subió al auto y se perdió en la noche. En esos escasos momentos, David mostró a todos que en la actualidad es exactamente igual al que siempre ha sido: el vecino de junto, aun cuando sabemos que es el mejor mago de todos los tiempos. Él es el sorprendente David Copperfield.

El Museo de Copperfield: La preservación de la historia de la magia

Observar cómo David Copperfield se pasea por su museo de magia particular es como ver a un niño extraviado en una tienda de dulces (tienda de dulces de su propiedad).

Sólo que Copperfield no es un niño, y este no es ni remotamente el primer recorrido que encabeza por su extraordinaria colección. No obstante, uno no puede menos que dejarse arrastrar por su entusiasmo mientras se desliza de una muestra a otra, hojea las páginas de un manuscrito escrito por Harry Houdini y luego pone en marcha su colección de aparatos *animatrónicos* del siglo XIX. Como tantas otras cosas que hace Copperfield, todo esto lo

> lleva a cabo con una pasión e interés contagiosos. Este cofre del tesoro privado, oculto en dos salones escondidos en alguna sección de un almacén en Nevada, consta de algunas de las piezas más importantes que forman el legado de la magia.

Hollywood Reporter
1994

David Copperfield tiene una pasión secreta: preservar la historia del arte de la magia para las generaciones presentes y futuras; para ello ha proporcionado un hogar permanente y seguro dónde guardar equipo mágico antiguo, libros y otros objetos relacionados con los conjuros y artes similares. Su vasta colección está guardada en un lugar secreto de Nevada.

Todo empezó hace algunos años, cuando David adquirió en una subasta la Biblioteca Mulholland de Conjuros y Artes Relacionadas, al precio de 2.2 millones de dólares. La colección, que cuenta con cerca de 80 000 objetos, entre ellos 15 000 libros de magia (algunos de los cuales datan del siglo XVI), incluye ejemplares extremadamente raros, como el primer libro de magia publicado en el Nuevo Mundo, algunos objetos memorables de Houdini y otros artículos invaluables.

¿Por qué adquirió David esa colección? Copperfield contesta: "Aquí yacía el testamento más importante del increíblemente rico legado del arte de la magia, ese arte al cual he dedicado mi vida. Quería asegurarme que esta inapreciable biblioteca no se iba a disgregar".

Al poco tiempo, la colección de David se enriqueció con la adquisición de objetos sueltos y otras colecciones completas. Ahora se le conoce como el Museo y Biblioteca Internacional de las Artes de los Conjuros.

El objetivo de David era edificar un monumento a la historia de la magia como un arte escénico, un museo actualizado que nos sobreviviera a todos. Se cree que la magia es quizá la más vieja y universal de todas las artes escénicas, y el Museo Internacional y Biblioteca de las Artes de los Conjuros es en la actualidad, a nivel mundial, el depósito más importante de documentos históricos y artefactos de magia, ilusión y artes afines.

A últimas fechas el museo compró la Colección Cole, la más grande de su tipo en todo el Reino Unido. Esta vasta adquisición totaliza casi 500 metros cúbicos de documentos y artefactos relacionados con la magia, que se guardaban anteriormente en Sotheby's, en Londres. El museo alojará también la colección del Dr. Robert J. Albo, que es tal vez la colección privada más importante de objetos antiguos y aparatos mágicos jamás reunidos. Entre las nuevas adquisiciones se cuentan también la colección de carteles de Jaw Marshall y la colección Dante/Thurston. Estas nuevas adquisiciones han impuesto la necesidad de una ampliación del espacio que actualmente ocupa el museo, y los arquitectos ya están trabajando en los planos correspondientes.

Entre los magnos objetos históricos del museo se cuentan el baúl de metamorfosis de Houdini (antepasado de una de las ilusiones contemporáneas más populares); las lámparas de Houdini que aparecen y desaparecen (y que aún son utilizadas); el balón flotante de Okito (el cual, en su momento, logró engañar hasta a los mismos magos); los soportes de Channing Pollock (el acto de Ed Sullivan donde salía una paloma, inspirador de miles de otros actos de centro nocturno); el epistolario Houdini-Kellar (un extraordinario intercambio de agudas observaciones, ideas y opiniones, durante tres años, entre estos dos legendarios artistas escénicos); el turbante propiedad de Alexander "El Hombre que Sabe" (de hecho, el turbante sugiere la forma exacta en que Alexander lograba "saber"); el esmoquin, el monóculo y la utilería de los juegos de manos de Cardini; el rifle de Chung Ling Soo (quizá el arma que segó en el escenario la vida y la carrera de Soo, durante el acto en el cual debía atrapar una bala y que terminó en su muerte); el gabinete del espíritu de Dante (el precursor de las ilusiones del espectáculo del espectro viviente a la medianoche que asustó a los buscadores de emociones fuertes en los cuarentas y cincuentas); la silla de la princesa decapitada Maskelyne; y la ilusión de la sierra circular de Orson Welles (que fue diseñada para Rita Hayworth y presentada con Marlene Dietrich).

La parte de la colección correspondiente a la biblioteca contiene obras impresas en más de veinte idiomas y abarca desde el siglo XVI hasta los artefactos contemporáneos: allí hay materiales de Heller, Bosco, LeRoy, Goldin, Cazaneuve, Vanek, Dobler, Okito, Blitz, Dante, Herrmann, Chung Ling Soo, Thurston, Blackstone y otros miles de artistas.

Contiene también decenas de miles de imágenes gráficas, grabados, carteles, anuncios de teatro y fotografías, que son la crónica de los maravillosos trabajadores de antaño, desde los más modestos artistas callejeros hasta los ilusionistas más rimbombantes de los grandes escenarios. La colección contiene también innumerables cartas holográficas, manuscritos y álbumes de recortes de los principales magos de todas las épocas.

Aquí se encuentran cientos de objetos que pertenecieron a Houdini (donados por el mismo Harry Houdini a la Colección Mulholland original), incluidos los cilindros originales de Edison, donde están registradas las únicas grabaciones, de que se tenga noticia, de la voz de Houdini.

Entre los tesoros del museo figura el increíble autómata construido por Robert Houdin, el padre de la magia moderna, de quien Houdini tomó su nombre.

En los bastidores de exhibición del museo se puede observar la utilería empleada por el profesor Hoffmann en su número a base de tazas y esferas, las monedas que el mago Wyman hizo pasar a través de las manos del presidente Lincoln y las instrucciones que Houdini escribió para sí mismo como guía de la ilusión conocida como la metamorfosis.

Los muros del museo están tapizados de litografías (grabados en piedra), extraordinariamente bien conservadas, con las cuales anunciaban los magos sus increíbles actos. A menudo estos carteles describen el aparato mismo colocado apenas a unos cuantos metros sobre el piso del museo.

Algunas de las obras importantes de más antigua publicación que se guardan en el museo son las siguientes:

- La primera edición de *The Discoveries of Witchcraft, 1584* (Los descubrimientos de la hechicería), de Scott, primera obra en lengua inglesa en la cual se analizan los métodos de los conjuros (escrita en aquella época con el objeto de salvar de la hoguera a los nigromantes acusados de hechicería)
- *Hocus Pocus Jr.*
- *Whole Art of Legerdemain, or Hocus Pocus in Perfection* (Todo el arte de la prestidigitación o abracadabra en perfección), de Dean, primera edición, 1722
- Las copias con anotaciones personales del profesor Hoffmann de *Modern Magic* (Magia moderna), *More Magic* (Más magia) y *Later Magic* (Lo último de la magia), que revolucionaron la magia a finales del siglo XIX.

La preservación de estos invaluables artículos es uno de los objetivos prioritarios del museo. Como uno de los aspectos del programa vigente de conservación y restauración que lleva a cabo el museo, se ha rescatado del deterioro a miles de documentos, carteles y libros.

Copperfield dice: "Todos los magos contemporáneos están parados sobre los hombros de gigantes, y el museo es una prueba elocuente del rico mosaico de las contribuciones que muchos hombres y mujeres han hecho a lo largo de los años a la más precisa de las formas artísticas".

El Museo Internacional y Biblioteca de las Artes de los Conjuros es una colección privada puesta al alcance de los estudiosos interesados en la historia de los trucos de magia, y sólo necesitan para ello presentar una solicitud por escrito al archivista.

Otros datos y apuntes sobre David Copperfield

David Copperfield comprende su oficio mejor que todos los demás magos que lo precedieron: "Antes de que pueda ocurrir una maravilla, es menester que exista tal maravilla. En mi espectáculo trato de transportar a la gente en un viaje de la imaginación, de un modo muy parecido a como lo hacen los grandes directores de cine". Sin embargo, en la magia de David Copperfield, la maravilla es real. Los milagros se producen en vivo y delante de testigos.

David Copperfield ha reescrito el libro de la magia. Ha llevado la magia a alturas artísticas e imaginativas nunca antes soñadas por hechiceros o espectadores. Las ilusiones son a la vez misterios espectaculares y teatro de entretenimiento. Mezcla el misterio y el romance en ilusiones sensuales que deslumbran la mente y conmueven el corazón. Pero la verdadera magia radica en el hombre: David Copperfield ha cambiado para siempre nuestra visión de lo que es y puede ser la magia.

- En 1982 desapareció un avión rodeado por un círculo de asombrados espectadores.
- Al año siguiente hizo desaparecer la Estatua de la Libertad ante pasmados neoyorquinos y un auditorio de millones que lo vieron desde sus hogares.

- Su octava presentación anual lo llevó a China. La importante construcción de casi 4 500 kilómetros de longitud, inspiradora de un temeroso respeto, fue escenario de un acto de David que hizo historia: mientras miles de personas lo veían, David atravesó con éxito la Gran Muralla China.
- En 1987 se convirtió en la primera persona en escapar de Alcatraz.
- Hizo desaparecer en el aire un vagón del tren Expreso de Oriente, con setenta toneladas de peso, por encima de un círculo de aturdidos espectadores.
- No obstante la grandeza de sus superilusiones, David también es un maestro de la magia en pequeño; en todos sus espectáculos en vivo y en sus programas especiales para televisión presenta maravillas intimistas que asombran la mente. Para su decimoquinto programa especial, David rompió en pedazos, y luego la rehizo, la famosa estampa de beisbol de Honus Wagner, cuyo valor para coleccionistas es de 500 000 dólares, ante los ojos de su nervioso propietario, el superestrella del hockey Wayne Gretzky.
- David es propietario del Museo y Biblioteca Internacional de las Artes de los Conjuros, el acervo más grande del mundo de libros antiguos, magia, ilusiones y otros objetos efímeros propios de la magia y otras artes afines.
- El tiempo promedio que necesita David para preparar un nuevo acto de ilusionismo, desde su concepción hasta su presentación, varía entre dos y cinco años. La creación de ilusiones tales como el vuelo han requerido una preparación de siete años.
- 1994 registró el decimosexto especial anual de televisión en CBS de David Copperfield (ningún otro artista individual en la historia se ha presentado más veces que él).
- David Copperfield realiza sus giras con una compañía de 35 personas, además de los tramoyistas locales y el personal de seguridad, lo cual significa que en el extranjero el

grupo aumenta y su número varía entre 30 y más de 100 personas.

- David Copperfield ha actuado siete veces ante presidentes de los Estados Unidos.
- El club de admiradores de David, llamado David Copperfield International, es manejado... ¡por su papá! El club publica el boletín interno trimestral "Backstage With David" (Con David tras bambalinas).

Los secretos del Proyecto Mágico de David Copperfield

"El Proyecto Mágico es un programa que utiliza la magia como una forma de terapia para gente con impedimentos físicos, en el cual magos, terapeutas y médicos enseñan magia a sus pacientes con objeto de ayudarlos a recuperar destreza y coordinación por medio de los juegos de manos. Además, esta magia afirma la autoestima del paciente, pues le confiere una habilidad de la cual carecen incluso las personas que no tienen impedimentos físicos.

A las personas se les enseña magia con el propósito de que mejoren su memoria, su forma de elaborar planes y secuencias, su capacidad para reconocer colores, su talento matemático y su motricidad, y a la vez acrecentar sus habilidades en el terreno de la comunicación.

En la actualidad el Proyecto Mágico se ha puesto en práctica en 1 000 hospitales de 30 países de todo el mundo. Por vez primera, el público en general puede participar de los secretos de este programa. Disfrútenlos."

El nudo imposible

El mago sostiene en cada mano uno de los extremos de un trozo de cuerda. Invita al espectador a hacer lo mismo con un trozo de cuerda semejante. Después de explicar que es imposible hacer un nudo en la cuerda sin soltar por lo menos uno de los extremos, el mago procede a hacer pliegues con la cuerda colgándola de su brazo, formando una serie de lazadas y dobleces simples. Esto lo hace despacio, sin soltar los extremos, de modo que el espectador pueda imitar todos los movimientos con su propia cuerda. Sin dejar de sostener ambos extremos, el mago sacude la cuerda desde su brazo: entonces, en el centro, aparece mágicamente un nudo. En la cuerda del espectador no se forma ninguno, aun cuando éste asegura que ha repetido cada uno de los movimientos del mago.

David Copperfield dice: "Los trucos del tipo 'trata de hacer lo mismo que yo' siempre son efectivos, y este es uno de los mejores. Con un poco de práctica y el dominio de un movimiento simple y secreto, usted será capaz de deslumbrar a sus auditorios una y otra vez".

✦ EL SECRETO: Se necesitan dos cuerdas, de aproximadamente 1.20 m de largo cada una; una es para que la use usted y la otra para un espectador.

1. Sostenga la cuerda cerca de los extremos, con el pulgar y el dedo índice de cada mano, y déjela que cuelgue tal como se muestra en el dibujo.
2. Haga con su mano derecha un movimiento hacia adentro (en relación con usted mismo) de manera que la cuerda pase sobre la muñeca de su brazo izquierdo, tal como se muestra en la ilustración.

3. Tire del extremo derecho de la cuerda hacia abajo, y llévelo más abajo del bucle que cuelga. Esto divide dicho bucle en dos secciones: derecha e izquierda.
4. Introduzca su mano derecha (sin dejar de sostener el extremo derecho) a través de la sección izquierda del bucle y, en una misma acción continua (sin soltarlo), mueva su mano derecha de regreso a través de la sección derecha del bucle, cruzando la cuerda por el punto A, como se muestra. Otra manera de describir el paso 4 es esta: su mano derecha, sin soltar su extremo, se introduce a través del bucle y se reencuentra con el punto A por detrás de su muñeca derecha. Luego el punto A se saca del bucle a fin de llegar a la posición que se muestra en el paso 5.
5. Sin desatar ninguna de las manos, mueva su mano derecha y colóquela de nuevo al lado derecho, llevando consigo la cuerda trenzada. El punto A descansa ahora en la parte trasera de su muñeca derecha. (*Nota*: Esta es la única parte de este excelente enigma mágico que resulta difícil de ilustrar. Practique con la cuerda en sus manos hasta que la pueda sostener tal como se muestra en el paso 5).
6. Cambie el nivel de su mano derecha con la izquierda, y tense la cuerda de modo que forme el patrón de entrecruzamientos entre sus muñecas que se ilustra en la figura. Observe que en la ilustración se muestra un nuevo punto en la cuerda: el punto B. Este punto se halla apenas un poco abajo del extremo sostenido por la mano derecha. Ahora afloje la tensión de la cuerda e incline ambas manos hacia adelante y hacia abajo para que los bucles exteriores, los cuales están apretados contra su muñeca, empiecen a deslizarse sobre el final de sus manos.
7. Ahora está listo para el movimiento secreto. Conforme la cuerda comienza a retirarse de sus muñecas, su mano derecha se prepara para desatar en secreto su extre-

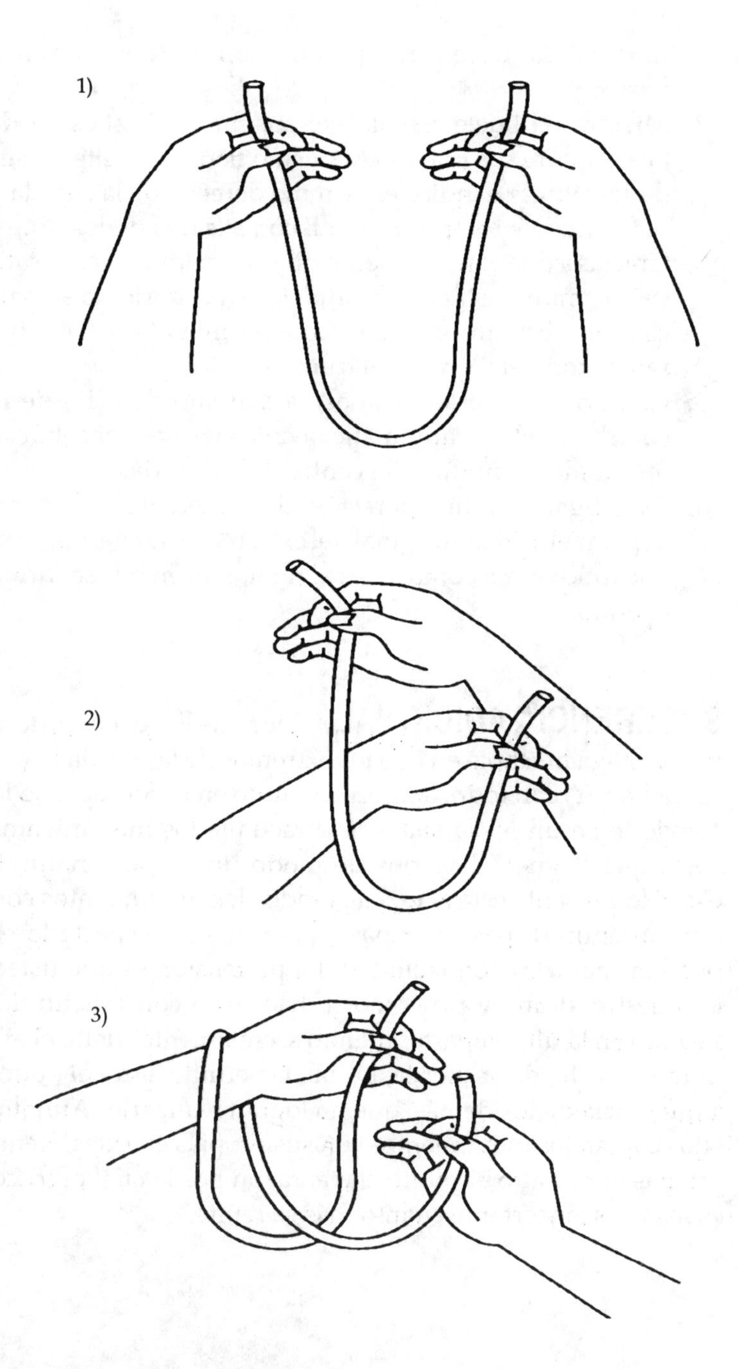
1)
2)
3)

mo y asir la cuerda en el punto B como se describe en el paso 8.

8. Mientras el bucle resbala por sus manos hasta salir de ellas, aparte sus manos. Al mismo tiempo, suelte de sus dedos pulgar e índice el extremo derecho de la cuerda y secretamente tome el punto B con sus tres dedos libres. Gracias a que el movimiento que hacen los bucles al salir de sus muñecas tiene sacudidas, el auditorio no se percata en absoluto de esta pequeña movida, en la cual radica todo el secreto del truco.
9. Conforme retira sus manos, el extremo derecho de la cuerda se libera automáticamente del pequeño bucle, formando un nudo en el centro de la cuerda.
10. Su pulgar e índice derechos de inmediato deben recuperar el asidero original del extremo de la cuerda, para que todo se vea como antes al momento en que se forma el nudo.

SUGERENCIA ADICIONAL: Durante la ejecución de la rutina, haga hincapié en que los extremos de la cuerda jamás se sueltan. Y, con todo, aparece un nudo en la cuerda. Eso lo convierte en un *Nudo imposible*. Practique los movimientos hasta que llegue a hacerlos de modo uniforme y natural. Cuando presente este acto, haga todos los movimientos con mucha lentitud, paso por paso, para que los espectadores puedan seguirlos con facilidad. La pretensión es que usted le muestre al auditorio cómo se hace esto con exactitud... excepto en la última parte, cuando secretamente suelta el extremo derecho de la cuerda, lo cual le permite hacer el nudo, a diferencia de los demás, que no logran realizarlo. Aunque ellos copian los movimientos con sus propias cuerdas, siempre pasan por alto el punto clave, razón por la cual el truco es más desconcertante cuanto más se repite.

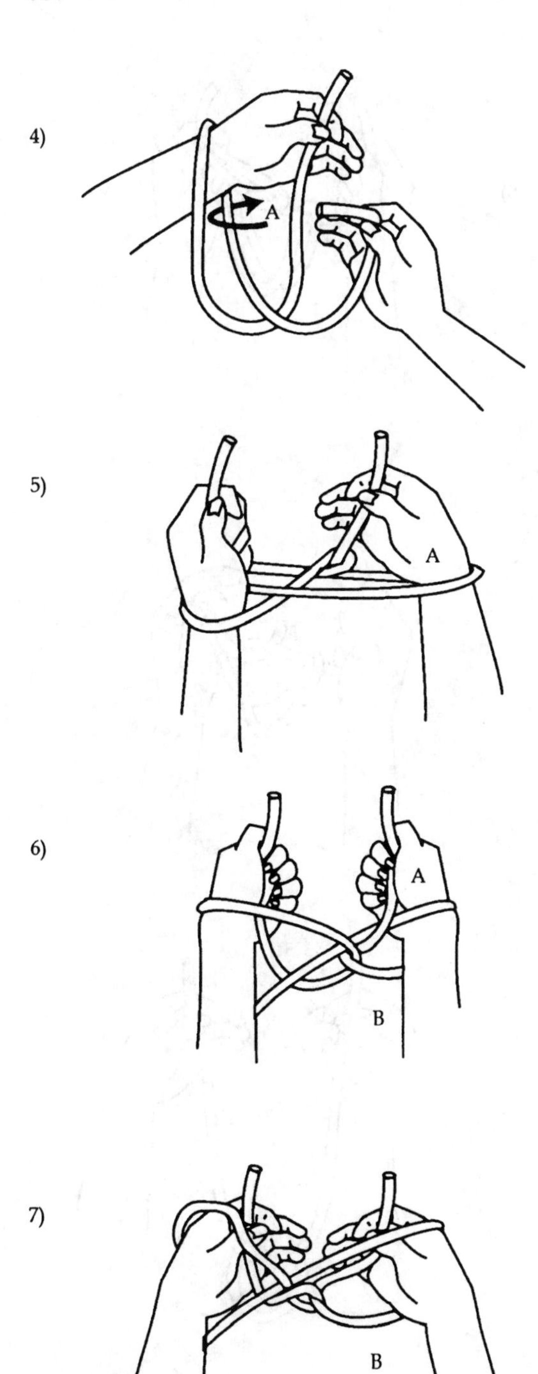
4)
A
5)
A
6)
A
B
7)
B

8)

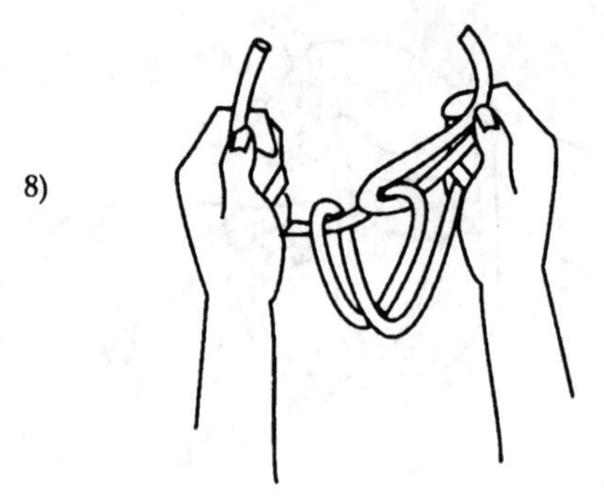

9)

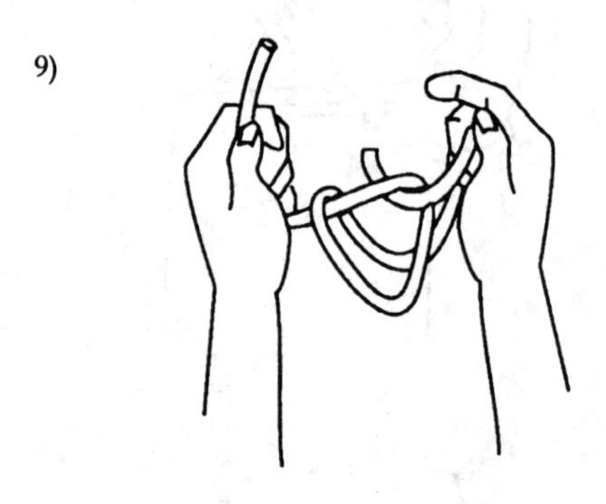

10)

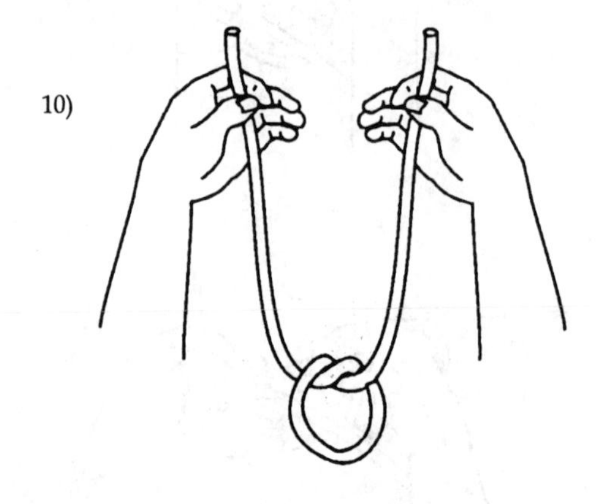

La banda elástica saltarina

El mago coloca una banda elástica alrededor de sus dedos índice y cordial. Cierra su puño. Al abrir la mano, la banda salta mágicamente a sus dedos anular y meñique.

David Copperfield dice: "La magia no siempre requiere la utilización de un equipo complicado o de juegos de manos sólo para expertos. Presentaremos aquí un efecto muy sencillo que sorprenderá a cualquier público".

Esta ilusión es excelente como una introducción a la magia. Requiere solamente de un nivel cognoscitivo muy sencillo: la ejecución de una tarea en una secuencia de tres pasos. El truco, con la práctica, puede realizarse con una sola mano. Es necesario poseer un nivel de destreza entre moderado y alto para manipular la banda elástica con una mano. Si se utilizan las dos manos no hace falta tanta habilidad.

ADAPTACIONES: Si se desea presentar este efecto o prepararlo con una sola mano, empiece por colocar la banda elástica alrededor de los dedos anular y meñique. Introduzca el pulgar en la banda y sáquela de los dedos. Cierre el puño y deje que las puntas de los dedos entren por la banda. Extraiga luego el pulgar y abra la mano para que la banda elástica salte.

Aun si no puede extender por completo los dedos, el truco puede llevarse a cabo cuando inicialmente coloca la banda entre los dedos índice y cordial. Después de introducir la punta de todos los dedos, dé un rápido golpe a la banda o haga presión sobre ella con el pulgar. Esto estirará la banda lo suficiente como para provocar que salte a los otros dedos.

✦ EL SECRETO:

1. Coloque la banda elástica alrededor de la base de sus dedos índice y cordial de la mano izquierda. Si la banda

Perspectiva del público

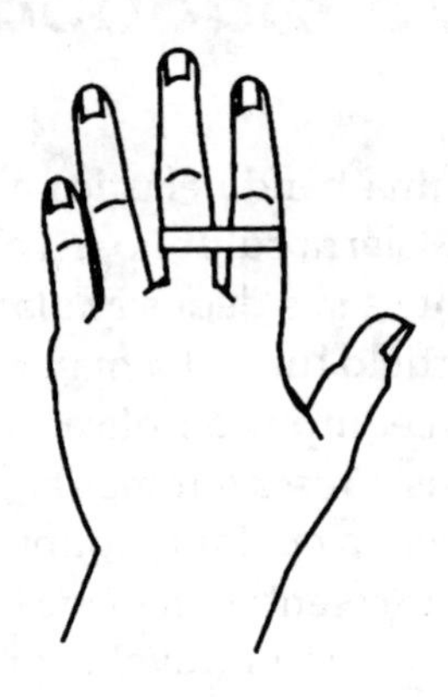

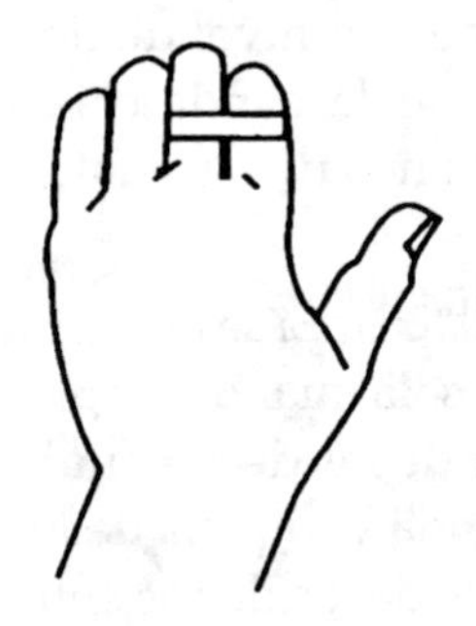

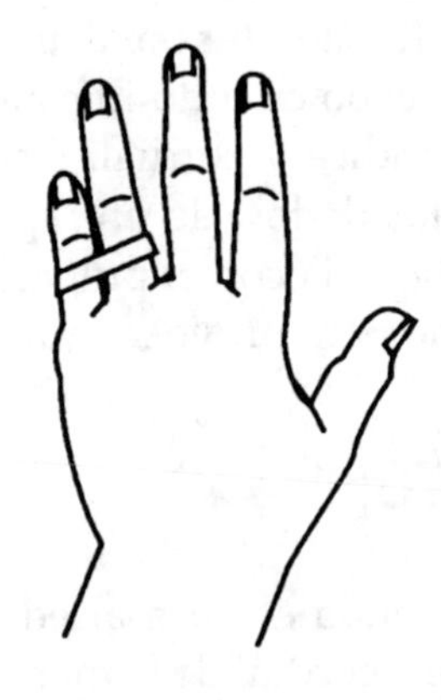

Perspectiva del ejecutante

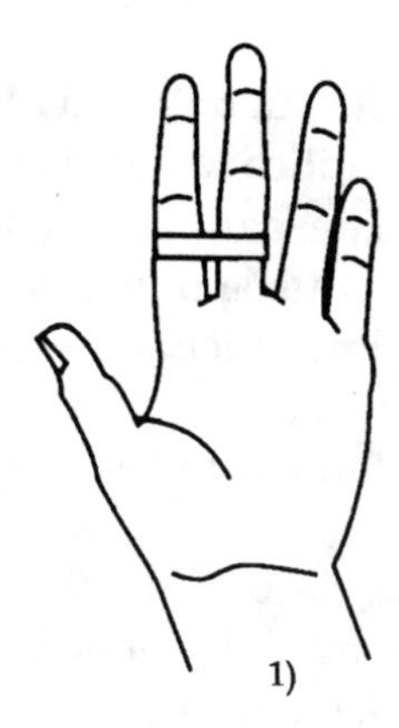

1)

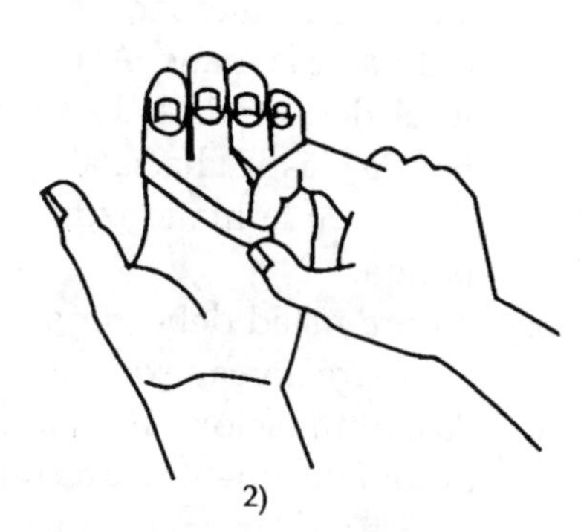

2)

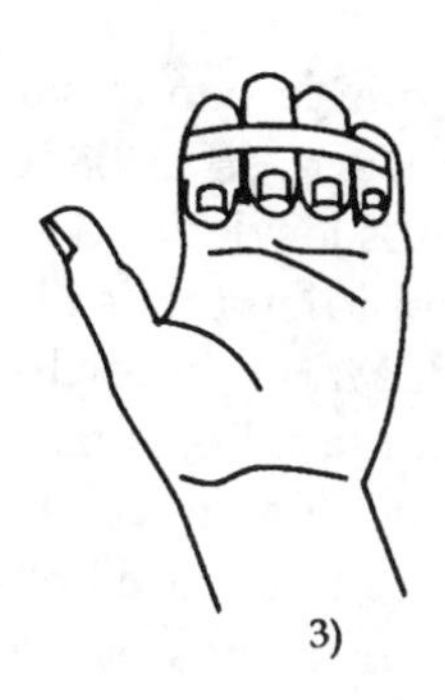

3)

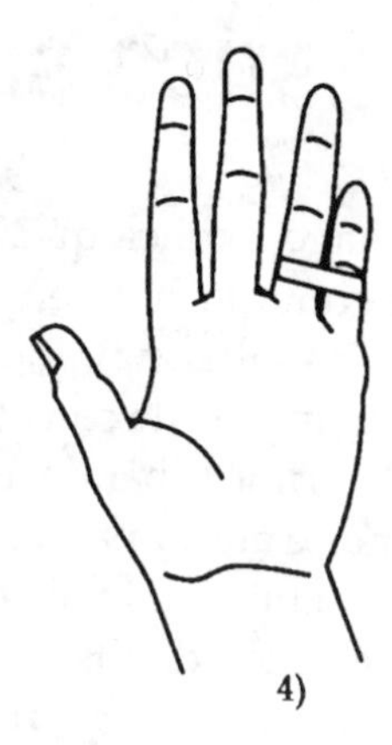

4)

es muy holgada, puede darle dos vueltas. Experimente primero con la banda que vaya a utilizar, de modo que pueda darle la tensión más adecuada. El dorso de su mano estará frente al auditorio y la palma quedará frente a usted.

2. Cierre su puño izquierdo doblando los dedos hacia la palma de la mano. Al mismo tiempo, utilice secretamente el dedo índice de su mano derecha para estirar la banda elástica hacia abajo, de manera que la punta de 4 dedos de la mano izquierda pueda introducirse por la banda.
3. Ahora usted debe ver su mano tal como se muestra en la ilustración anexa.
4. A continuación, al estirar los dedos, la banda saltará automáticamente a una nueva posición alrededor de sus dedos anular y meñique de la mano izquierda.

La desafiante banda elástica saltarina

El mago explica que, para imposibilitar que la banda salte (tal como lo hizo en el recién ejecutado truco de la banda elástica saltarina), rodeará la punta de todos los dedos de su mano izquierda con otra banda elástica, impidiendo la salida de la primera banda, la cual rodea los dedos índice y cordial. Aunque ahora parece imposible que la banda salte, el mago cierra el puño, lo abre y la banda "encerrada" aparece ahora entre los dedos anular y meñique de la mano izquierda. Para ejecutar este truco es necesario utilizar las dos manos. Se requiere una mano para colocar la desafiante banda torcida en la otra mano.

David Copperfield explica: "Este truco puede usarse como continuación de la banda elástica saltarina. Agregar la otra banda para "encerrar" a la saltarina es un toque ingenioso que hace que un truco sencillo provoque un efecto muy poderoso."

✦ EL SECRETO:

1. Coloque una banda más alrededor de la punta de los dedos de su mano izquierda, como se muestra en la

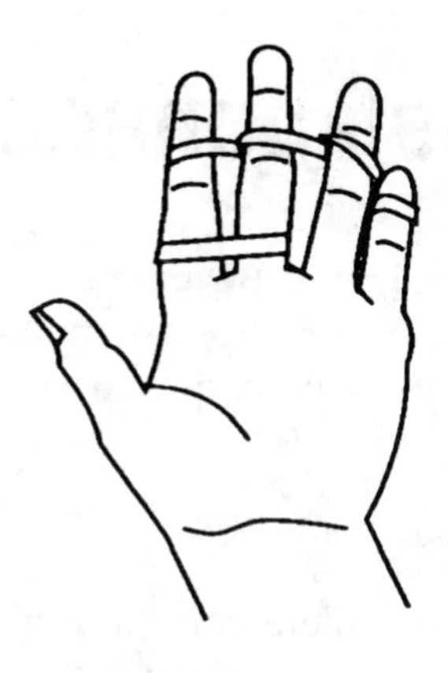

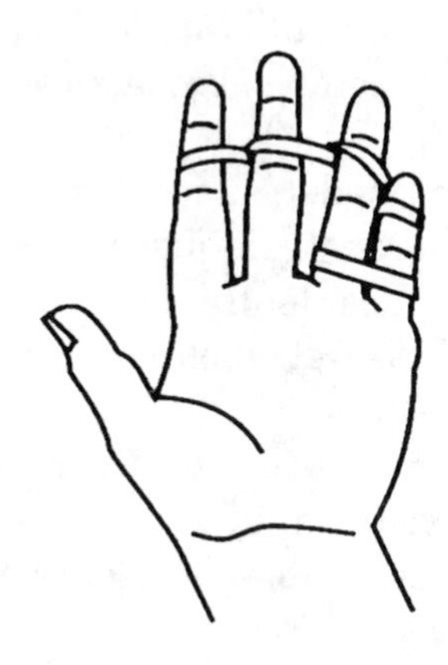

ilustración. (La primera banda se ha colocado entre los dedos índice y cordial. La explicación correspondiente se muestra en detalle en el truco de la Banda Elástica Saltarina.)

2. Luego haga exactamente lo mismo que antes: doble su mano para hacer un puño, e introduzca la punta de los dedos en la banda elástica que va a saltar. Desdoble los dedos; la banda saltará exactamente igual que antes.

Cómo eslabonar clips

Se prenden dos clips en un billete doblado. Se tira de los extremos del billete y los clips saltan por el aire. Al observarlos de cerca, se comprueba que se encuentran eslabonados entre sí.

✦ EL SECRETO:

1. Doble en tres el billete, como se muestra en la ilustración.
2. Saque de su bolsillo algunos clips y sujete uno entre el primero y el segundo doblez. Coloque el otro entre el segundo y el tercer pliegue.
3. Si usted tira de las esquinas superiores del billete mediante un movimiento rápido, las presillas se engancharán entre sí y caerán sobre la mesa.

A este truco se le pueden añadir los siguientes pasos:

4. Al doblar el billete, coloque alrededor de éste una banda elástica; ubíquela dentro de uno de los pliegues. Luego ponga los clips en el billete como se ha explicado previamente.
5. Esta vez, cuando usted tire de los extremos del billete, no sólo se eslabonarán los clips, sino que al final éstos estarán sujetos a la banda elástica.

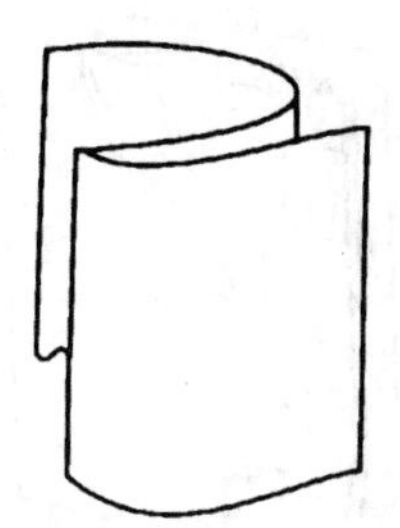

2)

3)

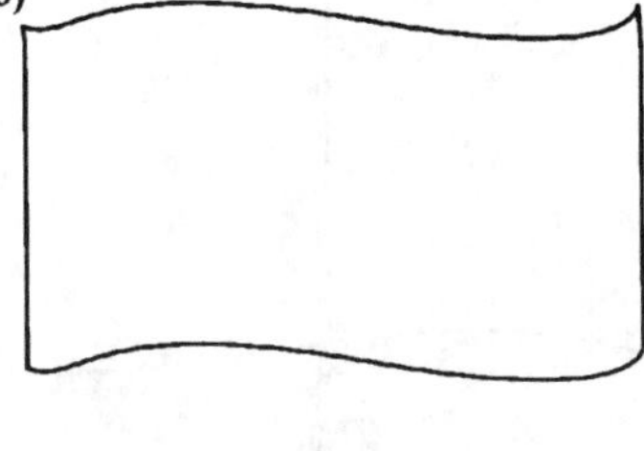

Variación

1)

2)

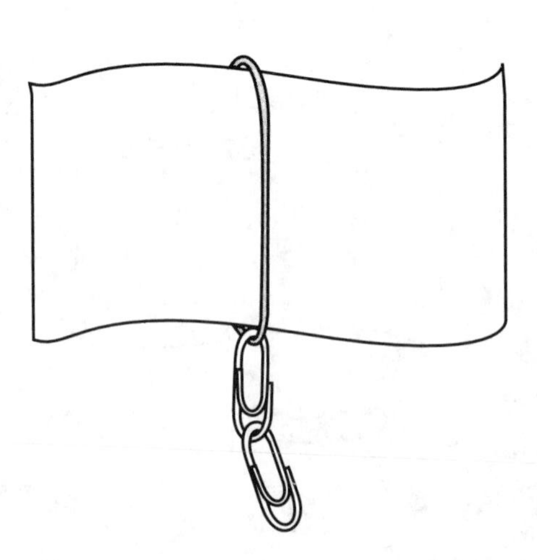

Robert Houdin

padre de la magia moderna

Jean Eugene Robert, nacido en 1805, fue primero aprendiz de relojero. En una visita a una librería, en busca de un libro de reparación de relojes, tomó por error uno de magia. Toda la noche, a la luz de una vela, el joven leyó, practicó y experimentó con los extraños, pero científicos, actos de magia.

Cuando no estaba en el taller del relojero, practicaba la prestidigitación, el malabarismo y la manipulación de la baraja. Su verdadero anhelo era tener una oportunidad de demostrar su habilidad frente a un público real. Sabía crear trucos, pero ignoraba cómo presentarlos.

Con el tiempo, Robert contrajo matrimonio con una joven de apellido Houdin. La costumbre de la época lo indujo a cambiar su nombre por el de Jean-Eugene Robert-Houdin. Siguió haciendo magia y comenzó a actuar en su propia casa, en Francia.

Sus escenografías eran sencillas, a diferencia de la mayoría de las que empleaban los magos de su tiempo, pero usaba también muebles elegantes y escenarios de tablas. Vestía de esmoquin, que era la manera de vestir de los hombres para asistir a las representaciones teatrales. Creó un escenario donde la atención recaía en el ejecutante, no en las ilusiones. Los magos de esos días tenían escenarios complejos, muchos de ellos con decorados chinos o de otras regiones orientales, también vestían trajes complicados y en sus actos participaba mucha gente.

Aprovechando sus antecedentes de relojero, el joven Jean-Eugene empezó a construir e inventar muchos trucos e ilusiones operados mecánicamente. Una ilusión de este tipo era la que presentaba con su hijo. Éste se colocaba de pie sobre un pequeño taburete. Houdin aparentaba hipnotizar al chico, luego colocaba bajo cada una de sus axilas un bastón que llegaba al suelo. En el momento adecuado, apartaba el taburete con un puntapié y luego quitaba uno de los bastones. Para asegurarse de que esta ilusión generaría aún un efecto mayor, tomaba después uno de los pies de su hijo y elevaba su cuerpo hasta formar un ángulo de noventa grados en relación con el bastón que permanecía en su sitio. Ahora su hijo estaba en una posición paralela al suelo y parecía flotar horizontalmente. Luego, Houdin hacía pasar un aro sólido alrededor del cuerpo de su hijo y del bastón, hasta llegar al suelo. En la actualidad muchos magos hacen este truco, pero en lugar de bastones utilizan escobas (véase la ilusión del palo de escoba en este libro).

Si bien es cierto que Houdin inventó cientos de ilusiones, una de las más célebres consistía en un personaje vestido al estilo de Luis XV, que estaba sentado frente a un pequeño escritorio. La figura mecánica era capaz de dibujar muchos animales complicados y escribir su nombre y la fecha con la hora del día. El rostro del mecanismo estaba modelado de modo que se asemejara al de Houdin. Esta ilusión en particular operaba en realidad a la manera de los mecanismos de reloj. Houdin la vendió al Circo de Barnum y Bailey. Tristemente, la figura se destruyó tiempo después a causa de un incendio.

En 1844, a pesar de que sus automatizaciones e ilusiones eran famosas en todo el mundo, Houdin descubrió que la gente no se impresionaba mucho con las simplezas que sus monigotes podían hacer. Por ello creó una más, llamada "El Pastelero". Tenía el tamaño de un niño. Junto con él había una "casita", que era la pastelería del repostero. El público podía ordenar distintos tipos de pasteles. Luego el pastelero entraba en la casa y volvía con el postre elegido. Esto podía repetirse una y otra vez. El auditorio podía incluso darle dinero al cocinero para que le llevara un postre y él le devolvía el cambio exacto.

Este efecto formaba, igualmente, sólo una parte de la actuación. Houdin hacía desaparecer el anillo de alguna persona. Después el pastelero entraba a la casa y regresaba con un pastel. En el interior de éste se hallaba el anillo. Aunque Houdin había creado muchas automatizaciones que en realidad funcionaban por sí solas, ésta en particular era controlada por un niño pequeño, que estaba oculto dentro del mecanismo. El muchacho "manejaba" al pastelero y ejecutaba la "magia".

Su truco mágico más recordado era el de la captura de una bala. En esta ilusión, una persona del público debía poner sus iniciales en una bala, cargar un rifle con ésta y luego dispararla contra Houdin, quien se colocaba en el otro lado del escenario. Houdin atrapaba la bala entre sus dientes. Las iniciales quedaban intactas, al igual que Houdin.

Houdin era el mago más exitoso de todos los tiempos cuando finalmente se retiró. Aprovechó su retiro para leer, escribir libros, hacer inventos y trabajar en el teatro que él fundó. Tenía relojes eléctricos operando en todas partes de su finca. Este hecho es en sí mismo asombroso, tomando en cuenta que estos mecanismos tienen una antigüedad de alrededor de ciento cincuenta años. Houdin murió por causas naturales en 1871. Tenía sesenta y seis años de edad.

El baúl ladeado

Este aparato es una ilusión que se presta a múltiples aplicaciones, donde objetos, gente o animales aparecen, desaparecen o cambian de lugar. Los ángulos de visión que este número exige obligan a que se ejecute solamente en escenarios de gran profundidad. Un escenario profundo es el que tiene por lo menos seis metros de fondo, a no ser que se use un escenario especial donde el secreto se pueda camuflar.

Un baúl grande, o una caja de embalaje se lleva hacia el frente del escenario en una tarima con ruedas. La caja tiene por lo menos 90 cm de alto, 1.20 m de ancho y 60 cm de fondo, y está provista de ruedas en la parte inferior para facilitar su libertad de movimiento. La base con ruedas está unida a la caja por medio de una hilera de bisagras. Esta estructura permite que el ejecutante incline la caja hacia donde él está, levante la tapa y muestre que la caja está vacía. Una vez que la caja ha sido ladeada, el público puede ver con claridad su interior, hasta el fondo.

Después se vuelve a colocar la caja sobre su base. Instantáneamente se abre la tapa y sale de la caja un asistente. Entonces la caja se vuelve a inclinar y se muestra que está totalmente vacía. Esta vez, cuando la caja vuelve a inclinarse hacia su base, la tapa se abre y sale otro asistente, o cualquier cosa que el ejecutante desee. La caja puede usarse también para desaparecer gente, tigres o lo que sea.

✦ **EL SECRETO:** La caja ha sido construida sin un fondo. La base sobre la que ha sido colocada tiene una sección que está fija en posición vertical, paralela a los lados de la caja. Cuando la caja se ladea y se abre su tapa, el auditorio ve esta sección vertical y piensa que es el fondo de la caja. En realidad, la persona oculta en la base, detrás de la caja (y su fondo falso) simplemente se sienta sobre la base con ruedas.

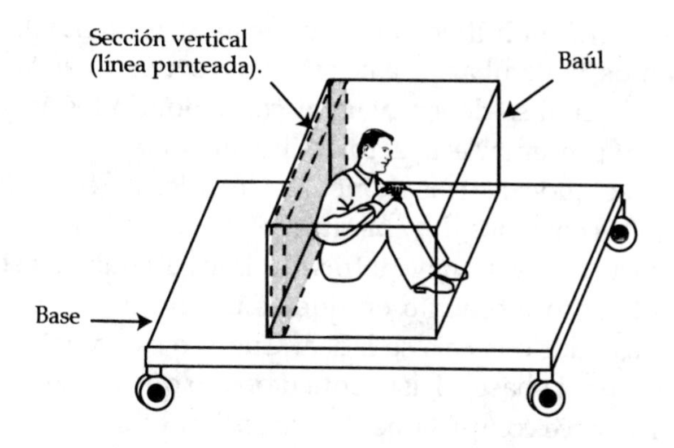
Sección vertical
(línea punteada).
Baúl
Base

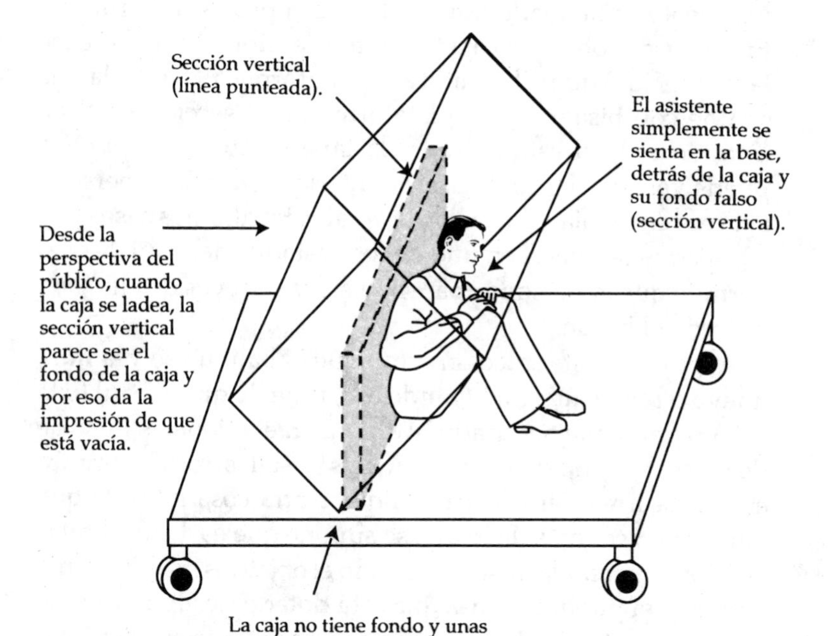
Sección vertical
(línea punteada).
El asistente simplemente se sienta en la base, detrás de la caja y su fondo falso (sección vertical).
Desde la perspectiva del público, cuando la caja se ladea, la sección vertical parece ser el fondo de la caja y por eso da la impresión de que está vacía.
La caja no tiene fondo y unas bisagras la sujetan a la base exactamente por la sección vertical.

Desde el frente, el público no puede ver al asistente. Desde los extremos, sin embargo, éste si podría ser visto. Esta es la razón por la cual se deben planear con cuidado los ángulos de visión al presentar este acto de ilusionismo.

A veces se colocan otros elementos de utilería o estructuras en uno de los costados del aparato, con lo cual se impide que el público vea lo que hay detrás de la caja cuando ésta se inclina. El único momento en que es importante cubrir los ángulos es cuando la caja se ladea. Cuando ésta vuelve a su posición sobre la base, el asistente u objeto que está en su interior permanece completamente oculto. Por esta razón, usted puede hacer girar la caja para mostrarla al público, cuando se encuentra en posición vertical.

Para este truco puede usarse un baúl o una caja de embalaje, siempre y cuando no tenga fondo. La plataforma normalmente es de madera terciada y está provista de ruedas. En lugar de fondo, la caja tiene una sección vertical (véase la ilustración) que está unida a la plataforma. El baúl o la caja se une con bisagras a la plataforma en la sección vertical. Cuando el baúl está ladeado, la tapa se abre y el público puede ver con claridad hacia su interior. Cuando la persona aparece en la caja, pisa el borde al salir. En algunos casos hay una pequeña puerta en uno de los costados del baúl, la cual permite que la persona aparecida salga a través de ella y no pisando el borde.

Al ejecutar este truco, procure que el baúl no se vea muy nuevo o reluciente. En lugar de eso, trate de que el baúl (o la caja) parezca viejo y usado. Adhiera en él etiquetas de viaje de países extranjeros o viejas tarjetas postales, rocíele pintura en forma irregular o haga cualquier otra cosa a fin de que parezca no ser más de lo que se supone que es. Estos toques ayudarán a crear la ilusión. Cuando el objeto es muy brillante y nuevo, el público piensa que está dotado de algún tipo de mecanismo. Usted debe hacer creer que puede ejecutar maravillas hasta con los artículos más sencillos. En este caso, con un viejo baúl.

Suspensión sobre un palo de escoba

Parecida a la versión original del bastón en suspensión, de Robert Houdin, el palo de escoba en suspensión es la forma modernizada de presentar aquella ilusión. Dos palos de escoba ordinarios son introducidos al escenario y colocados en una plataforma, con el mango hacia abajo y las cerdas hacia arriba. El mago coloca entonces un pequeño taburete entre ambos palos de escoba. La distancia entre los palos es más o menos de 60 cm. Se le pide a una persona joven que se ponga de pie sobre el taburete y permita que sus brazos cuelguen desde las cerdas de la escoba.

Al dársele una orden o sugestión, el joven queda aparentemente hipnotizado. El taburete se retira y luego también uno de los palos de escoba; el joven queda suspendido. Entonces, el mago toma los pies del muchacho y describe con ellos un movimiento en forma de arco hasta formar un ángulo de noventa grados en relación con el palo de escoba restante. El mago hace pasar un aro alrededor del chico y del palo. Posteriormente, el muchacho es colocado otra vez en su posición original, al igual que el segundo palo de escoba. Se vuelve a colocar el taburete. Después, el ayudante es liberado del trance hipnótico y baja del taburete. Todos los objetos utilizados en esta ilusión son desmontados y se retiran del escenario para que el mago pueda realizar el siguiente milagro.

Este truco es una ilusión agradable pero, para que sea realmente bueno, es preciso que el mago lo realice con un alto grado de espectacularidad. Ha llegado a resultar aburrido ya que se presenta con excesiva frecuencia y por demasiados magos. Rara vez el público moderno cree que el ayudante está en verdad hipnotizado y la mayoría de la gente sabrá que el palo de escoba está manipulado. Un estilo de presentación tipo Copperfield mejoraría el truco.

✦ EL SECRETO: El asistente viste ropa floja. Bajo esas holgadas prendas hay una armadura con una juntura bajo la axila. Esta juntura se engancha a una unión oculta entre las cerdas de la escoba. La escoba ha sido fabricada especialmente y en realidad es de metal, pero está pintada de modo que parece de madera. Una uña de trinquete instalada en el punto de unión permite que el ayudante alcance la posición de suspensión, ya que no impide que los pies sean desplazados hacia arriba aun cuando sigue sosteniendo firmemente el torso del asistente desde la axila.

Se necesita una plataforma que tenga hoyos hechos con taladro, para asentar en ellos los palos de escoba. Cuando el asistente coloca sus brazos sobre las cerdas, él mismo engancha los puntos de unión en la uña de trinquete. Toda la parafernalia yace oculta, mientras el asistente se acomoda, gracias a las prendas holgadas que viste. Una vez que están en su sitio los elementos, ni el taburete ni el segundo palo de escoba son necesarios, pero eso el público no lo sabe. Cuando el taburete es retirado, el ayudante queda suspendido en el aire, sostenido por el punto de unión. A continuación se hace a un lado el segundo palo de escoba.

Como el punto de unión es una uña de trinquete, el mago simplemente se limita a levantar el cuerpo del asistente hasta el ángulo deseado; la uña hace que permanezca fijo en ese lugar. Posteriormente, el ejecutante pasa el aro alrededor del asistente sin ningún tipo de ayuda mágica. Cuando el truco está completo, el mago baja al asistente a su posición original habiendo soltado la uña. Así se da por terminada esta ilusión.

Detalles que debe recordar: el secreto reside en el mecanismo tipo uña de trinquete, que se puede adquirir en la mayoría de los centros proveedores de equipo. Sin embargo, el mecanismo debe ser silencioso, pues de otro modo el público escuchará los *clics* al asegurar y soltar la pieza de su lugar.

El palo de escoba falso será muy pesado, por estar hecho de metal. Recuerde no permitir que se note este peso extra por su manera de manejarlo en el escenario.

Es preciso que la armadura pueda ajustarse con la mayor facilidad al mecanismo del palo de escoba. El ayudante la lleva puesta debajo de la ropa. En la armadura es donde se encuentra el broche que se sujeta al palo de escoba, por debajo de la axila del ayudante.

Esta ilusión fue muy socorrida por los ejecutantes modernos hasta la década de los veintes. Aún hoy se le ve en algunos espectáculos ambulantes menores.

Truco de la soga india

Considero que este truco, inmensamente popular a principios del presente siglo, es una joya olvidada de los actos de magia, pues ninguno de los ilusionistas modernos lo realiza. Como el público ya no se impresiona —simplemente no lo acepta— los magos lo han relegado al olvido.

Este acto puede realizarse tanto en exteriores, en un espacio abierto, como en interiores, en el escenario.

El ejecutante lleva un pequeño cesto de mimbre hasta el centro de la escena. De su interior saca una soga. La arroja al aire. Vuelve a hacerlo una segunda vez. En el tercer intento, la soga no sólo queda flotando en el aire sino que sigue moviéndose, saliendo verticalmente del cesto, elevándose cada vez más y más.

En determinado momento alcanza tal altura que el público ya no puede distinguir el final de la soga. Después un ayudante sube por ella hasta que también se pierde de vista. En ese momento, el mago dispara una pistola. La soga cae en el escenario y el asistente ha desaparecido.

✦ **EL SECRETO:** Como ha podido usted constatar mediante otras ilusiones que hemos expuesto en el libro, este truco tiene varias soluciones. La que presentamos, en particular, ha sido causa de controversias.

Todo parece indicar que nadie presenció jamás la versión original de este truco. En ella, los falsos santos (magos, a decir verdad) aseguraban que el acontecimiento ocurría tal como se veía, sin ninguna trampa de por medio. Que esta afirmación sea cierta o no, no lo sé. Pero puedo decir con certeza que, a lo largo de mis investigaciones, jamás he descubierto ni una sola exhibición auténtica de este espectáculo.

La base de esta ilusión es una soga que está provista de un gancho en uno de los extremos. El gancho es igual a los que se usan para soportar a los montañistas. Por el techo del escenario se extiende un delgado cable de alambre metálico. Éste debe ser demasiado resistente para sostener a la soga y al asistente. En esta versión, la soga se engancha al cable de metal durante uno de los lanzamientos. Lograrlo es más fácil de lo que parece a primera vista.

En una versión más moderna, el extremo de la soga está conectado a un cable metálico desde el principio del acto. Su tensión es tan escasa que no obstruye el movimiento del cesto al comienzo de la ejecución. El resultado de esto es que se vuelve innecesario arrojar la soga, aun cuando el hecho de que usted lo haga ayuda a confundir al público.

He aquí cómo funciona: el cable está unido a un sistema de poleas o montacargas. En el momento oportuno, el ayudante tras bambalinas activa la polea y levanta la soga en el aire. El asistente que desaparece sólo tiene que trepar por la soga, que está muy firme, y luego subir a la zona del cabrio, por encima de la línea del telón. A menudo el acto se complementa echando humo por encima de la soga. De ese modo se crea la impresión de que el asistente se desvanece detrás de una nube de humo.

Algunas veces, para provocar un efecto más intenso, el mago hará que la soga salga del canasto como si se tratara de una serpiente encantada, en lugar de sólo sacarla o arrojarla hacia arriba. O también, el asistente puede empezar a trepar por la soga cuando ésta sólo haya salido medio metro del canasto. De este modo, la soga sigue subiendo y lleva consigo al ayudante "a bordo". Esta técnica es más sencilla que encontrar a alguien que sea lo suficientemente fuerte como para trepar en realidad por la soga.

No hace falta que el asistente desaparezca en el extremo de la soga, en particular si no hay un sitio al que pueda subirse. En tal caso, puede ser suficiente que el ayudante baje simplemente de la soga. Después de todo, el objetivo del truco es lograr que la soga se levante.

Este truco es una de esas ilusiones acerca de las cuales muchas personas han oído hablar pero que muy pocas han visto. A menudo se presenta en películas como *Aladino* o *Alí Babá y los cuarenta ladrones.*

Aunque es necesario contar con un equipo de poleas o montacargas para llevarlo a cabo, este acto es sencillo y su efecto visual es bueno... si nadie descubre el secreto.

Howard Thurston

renacimiento mágico

Howard Thurston vivió de 1869 a 1936. Aunque al principio de su carrera era un ladronzuelo, llegó a convertirse en uno de los magos más admirados de la época moderna. Fue Thurston quien compró el espectáculo de Kellar (véase la biografía de Kellar en la página 51) y luego siguió acrecentando la grandeza iniciada por él.

Al parecer, Thurston viajaba en un tren con destino a alguna universidad, cuando un cartel de publicidad del mago Hermann atrapó su mirada. De inmediato se sintió intrigado. Debido, tal vez, a sus primeros días de ladrón, Thurston se volvió un experto en la manipulación de monedas y cartas. Tenía gran destreza manual y era capaz de ocultar en la palma de su mano monedas de cualquier tamaño.

Tras comprar el espectáculo de Kellar en 1908, Thurston añadió muchas maravillas más. Fue el primero en desaparecer automóviles con todos sus ocupantes dentro. Podía lograr que un piano flotara mientras se ejecutaba una pieza en éste. Su espectáculo era verdaderamente una maravilla.

Sin embargo, mientras Thurston se encumbraba, el vodevil comenzaba a perder terreno ante la nueva industria de la cinematografía. Aun cuando Thurston seguía atrayendo grandes multitudes en todos los lugares del mundo donde se presentaba, él detectó los signos del desastre inminente; su visión se convirtió en realidad. Muy pronto la magia comenzó a transformarse en un fenómeno del pasado, al igual que el vodevil. Thurston perseveró y continuó presentando su espectáculo en diversos lugares, pero lo hizo ante auditorios cada vez más reducidos.

Uno de sus actos de ilusionismo más importantes fue su efecto del balón flotante (véase la pág. 122). En esta ilusión de gran escenario, hacía que un pequeño balón de metal apareciera mágicamente.

Luego, durante el resto del espectáculo (cuya duración era de más de veinte minutos) el público veía cómo este prodigioso balón flotaba, bailaba, oscilaba y se columpiaba a los acordes de diversos tipos de música. Al final, el balón simplemente desaparecía ante los ojos de la complacida multitud.

Levitación

Uno de los efectos mágicos más asombrosos ha sido siempre el de la ilusión de la dama flotante Asrah. No importa lo que usted ponga a levitar, ya sea una asistente, un caballo o un automóvil, siempre causará agrado a las multitudes ver algo flotando en el aire. Explicaré la ilusión para el caso de la flotación de una mujer, pero el principio es el mismo para cualquier persona u objeto, grande o pequeño.

La asistente es llevada al centro del escenario. Se le coloca en posición reclinada sobre un sofá y luego es cubierta con una tela grande. Se le da la orden de elevarse. Una vez que se ha elevado a una altura de 30 cm, el sofá es hecho a un lado y el mago camina alrededor de la mujer flotante.

Ella sigue elevándose hasta una altura muy por encima de la cabeza del ejecutante. Luego desciende lentamente hasta la altura de la cabeza del mago. Nuevamente, empieza a elevarse. Esta vez el mago toma la tela y, mientras la mujer sigue ascendiendo, tira de ésta súbitamente. La mujer ya no está, ha desaparecido justo delante del público.

✦ EL SECRETO: El secreto está en el sofá (¿recuerda el sofá de la descripción general del truco que presentamos en el párrafo anterior?) y el resto del efecto depende de una pantalla parecida a una malla cuya figura semeja el cuerpo de la asistente.

Tan pronto como ella se recuesta en el sofá, el ejecutante toma la tela que usará para cubrirla. Mientras tanto, la malla o pantalla desciende sobre la totalidad del cuerpo de la asistente por medio de cables invisibles. Puesto que la malla es transparente, el auditorio no puede verla. Este movimiento es realizado por un colaborador detrás o fuera de escena, en los costados del escenario. La malla está configurada de modo que parezca el cuerpo de una mujer y se halla unida, mediante cuatro cuerdas de fibras invisibles, a un emplazamiento controlado por otro ayudante. Cuando el ejecutante cubre a la mujer con la tela, lo que en realidad cubre es la pantalla.

Tan pronto como la mujer queda totalmente cubierta, se desliza en secreto hasta un compartimiento oculto del sofá. Después de que éste ha sido retirado a una zona tras bambalinas, la mujer sale de su escondite. La mayoría de la gente se olvida del sofá en virtud del modesto papel que desempeña en este truco.

La forma de la pantalla permite que todos crean que la mujer todavía puede ser vista desde el auditorio. En realidad, el truco ya se ha consumado. Ahora el mago simplemente hace su parte.

Mientras tanto, el ayudante entre bastidores observa los movimientos del ejecutante, bajando o subiendo la pantalla cubierta por la tela, de acuerdo con las órdenes que da el mago. Cuando la tela es súbitamente retirada, el público no advierte la pantalla invisible.

La pantalla con forma de cuerpo no puede ser vista debido a un par de razones. En primer lugar, el telón de fondo es oscuro. El negro es el mejor fondo. El material que constituye la malla es el nailon, que a su vez también puede ser negro o transparente. De cualquier manera, el público no puede distinguir entre la malla y el telón de fondo oscuro.

Al finalizar el truco, es conveniente que el ayudante de bastidores levante del todo la pantalla para que no quede al alcance de la vista. Esto se hace para que el escenario esté completamente libre.

He visto que en algunos casos la malla que semeja el cuerpo parece más un molde cubierto por un terciopelo negro exactamente igual al del telón de fondo. Este molde de terciopelo negro será invisible a ojos del auditorio siempre y cuando se le coloque contra un telón de fondo negro.

UNA PALABRA DE ADVERTENCIA: este efecto presenta dificultades si se ejecuta por televisión, pues la cámara a menudo capta los movimientos de los cables invisibles y de la malla. Sin embargo, resulta grandioso en una presentación escénica.

Producción de un destello

Este efecto funciona con un principio similar al que opera en el acto de la casa de muñecas (véase la Ilusión de la casa de muñecas en la pág. 55). Al centro del escenario hay un gabinete de 1.80 m de alto con tapa y fondo. El perímetro es de 60 cm por 60 cm. El presentador camina alrededor y por el gabinete para demostrar que está vacío y desprovisto de truco. Una a una cierra las persianas de cada lado del gabinete hasta dejarlo completamente cerrado. En la parte más alta se coloca una tapa en forma de techo. Ahora tampoco puede entrar nada en esta dirección.

Luego sobreviene un resplandor de humo y fuego, las persianas del frente se enrollan por completo y en el interior de la cabina aparece el ayudante del mago.

✦ EL SECRETO: Esta ilusión es muy fácil de elaborar y operar. Como se mencionó antes, funciona bajo el mismo principio que la casa de muñecas. El ayudante está escondido detrás de la tapa. La tapa es colocada sobre uno de sus extremos, al lado del gabinete. Mientras el frente y los lados son cerrados, el ayudante, subrepticiamente, entra al gabinete. Después se cierra la parte de atrás, y luego se coloca la tapa en la parte más alta del gabinete. El destello es generado por un recipiente con luces artificiales, un pote o una bomba de humo, lo que el mago prefiera utilizar.

Este tipo de ilusión es estupenda para el ejecutante novato y joven. Ante todo, es sencilla de elaborar, de usar y resulta en verdad muy entretenida. Con frecuencia es oportuno aparecer al niño que cumple años, al padre de los niños, etc.

A los auditorios pequeños les encanta ver a su propia gente participar en el acto.

La base y la tapa están hechas exactamente de la misma manera. Han sido fabricadas básicamente de madera terciada. En cada esquina hay puntales atornillados a esta madera. Se utilizan para fijar los postes de las esquinas. Yo utilizo postes de aluminio entubados, que se venden en la mayoría de las madererías o almacenes de plomería. Cada poste es de 1.80 m de alto. Se necesitan cuatro; uno para cada esquina.

En los lados se pueden utilizar persianas de ventana comunes, si bien he visto que algunos usan tela, colgada de lo alto y con acabado de velcro en la parte inferior. El frente puede ser de velcro, tanto en lo alto como en la parte de abajo. Cuando el recipiente de luces artificiales se quema, el asistente puede soltar la sección del frente (rompiéndola), o bien, hacer que las persianas se levanten.

La tapa puede ser la misma que se utiliza en la ilusión de la casa de muñecas, siempre y cuando este otro truco no se vaya a ejecutar en la misma función. El auditorio puede sospechar si ve de nuevo la misma tapa. Al colocarla usted debe aparentar mucha indiferencia. Evite hablar de ella o que la atención recaiga en esta parte del acto.

Este es uno de los casos en que tanto la base, como el extremo superior y los lados pueden decorarse sobrecargadamente o pintarse de manera humorística o extraña. También es válido pintarlos como si se tratara de una cabina telefónica. Depende del acto que usted haga.

Una buena manera de comenzar su actuación es realizar ilusiones de aparición. Recuerde que todo cuanto vaya a aparecer debe permanecer oculto hasta la ejecución del truco.

También puede considerar la posibilidad de colocar ruedas en la base. Cuando el asistente está adentro y bien seguro, usted puede hacer girar el gabinete, lo cual enriquece el espectáculo y permite que se consuma más tiempo.

Magia negra

Sin duda, realizar este tipo de magia es lo más cercano a hacer un acto de magia verdadera, no obstante lo cual es uno de los tipos de ilusionismo más sencillos de ejecutar.

El mago entra al escenario vestido con un traje blanco. Lentamente las luces se atenúan. Al final el público sólo puede ver al mago gracias a su traje blanco, pues el escenario ahora está negro. Luego el ejecutante ordena que algún objeto deseado aparezca, flote y desaparezca. Personas, animales, flores, mesas... todo cuanto el mago quiera, da la impresión de aparecer, desaparecer o flotar a partir de una orden. Sin embargo, el mago va mucho más allá y corta a una mujer en dos justo delante del público. Cada mitad comienza a pasearse por su cuenta por todos lados dentro del escenario. Después el mago puede volver a unir las dos partes o sencillamente desaparecerlas.

En definitiva no hay límite alguno en cuanto a lo que el mago puede hacer. Al final, las luces vuelven a incrementar su intensidad y el ejecutante puede aparecer otra vez solo en el escenario, o bien con el escenario totalmente lleno de los artículos que en el espectáculo hicieron su aparición mágica.

✦ EL SECRETO: Este campo de la magia ha sido casi totalmente abandonado en las presentaciones de hoy en día. A mi juicio, los magos actuales están más interesados en los trucos de tipo más mecánico, de modo que no tienen que elaborarlos tanto, ni ensayarlos demasiado. Sin embargo, es posible que alguien vuelva a recurrir a este estilo de magia.

El escenario es el punto de mayor importancia. El telón de fondo o escenografía es negro y liso. El mago viste traje blanco o de algún color claro. Debe también ponerse una máscara o retocarse el rostro con maquillaje. Con ello se logra que las manos y el rostro destaquen contra la escenografía negra. Esto se hace así en virtud de que, en la oscuridad, con el escenario apenas iluminado, todo lo que es negro no puede ser visto por el auditorio.

A fines de los años sesenta y principios de los setenta, los carteles y los diseños gráficos hechos con materiales sensibles a la luz negra hicieron su regreso triunfal. El cartel parecía brillar en la oscuridad a causa de la luz negra. Elementos que a la luz del día era imposible observar, se hacían visibles cuando las lámparas de luz negra brillaban sobre ellos.

Para aparecer cualquier objeto, simplemente haga que sus asistentes vestidos de negro lo lleven al escenario. Puesto que los asistentes están completamente vestidos de negro y sus rostros y manos son negras, el público no puede verlos. Parecerá que el objeto portado por ellos está simplemente flotando en escena. O bien, puede usted extender las manos tras el centro del telón, en el punto donde se encuentran las dos cortinas, y extraer el objeto.

Si uno de los lados del objeto es negro y el otro es sensible a la luz negra, usted puede traerlo consigo en el escenario y hacerlo aparecer y desaparecer tan sólo con darle vueltas. También la gente puede desaparecer y aparecer si se oculta tras una prenda negra o un tablero pintado de negro. Por cierto, al añadir una luz estroboscópica se logra un efecto aún más asombroso. Sin embargo, yo no sugeriría que esta luz se utilizara mucho o con demasiada frecuencia. Su uso repetitivo lastima los ojos. El constante centelleo de la luz convierte el escenario en una ola en movimiento.

Para hacer que alguien flote, haga que un asistente se recueste sobre un tablero negro de madera terciada. Luego, dos de sus asistentes pintados de negro levantarán el tablero. Así, el asistente flota y sale del escenario hacia los costados.

Como la única limitación del acto es el grado de creatividad que usted le dé, deje que su imaginación trabaje libremente. Olvídese de la magia tradicional. No necesitará trucos. Sólo piense en su escenario como el país de su imaginación, un sitio donde todo puede suceder.

He tenido oportunidad de actuar con luz negra y de presenciar una actuación con esa luz. Realmente es la visión más sorprendente de contemplar. El público se asombra con la magia de esos artículos que aparecen y desaparecen y esos objetos que flotan en el aire. ¡Es realmente maravilloso!

Cosa extraña, usted (el mago) se pierde del efecto. Al actuar con equipo de magia negra, puede ver todo lo que hay en el escenario, pues está muy cerca de la acción. Es posible que por ello olvide cuán impresionante le resulta al auditorio. Trate de recordar que la magia negra es en verdad la forma más espléndida del arte de la magia. Lo valorará mejor si graba en video su espectáculo. El video le permitirá verlo y revisarlo, no como participante, sino desde la perspectiva de un observador.

Como espectáculo de televisión, la magia negra realmente está hecha a la medida. ¿Por qué? La escenografía en la cual usted trabaja puede ser totalmente oscura, en tanto que las personas que lo ven desde sus hogares tienen la luz que ellas han elegido. Después de los trucos de fotografía, ejecutar magia negra por televisión es lo segundo mejor. La cámara sólo capta lo que usted desea que capte. Sin duda, la magia negra es la más ingeniosa y fácil de realizar.

Pero cuidado: las ilusiones de la magia negra obviamente no son adecuadas para ser vistas en acercamiento o en espectáculos pequeños de cualquier tipo. Los reglamentos de prevención de incendios quizá planteen restricciones respecto a los niveles de oscuridad permitidos. Quizá tampoco le sea sencillo encontrar un club dispuesto a reducir su nivel de luz a ese grado.

Una manera de combatir la reticencia del club es dirigir una luz tenue hacia el público, fuera del escenario. La verdad es que con el empleo de este método se incrementa la invisibilidad del acto. Sin embargo, esta ilusión, cuando se realiza en total oscuridad, provoca efectos verdaderamente espectrales.

La magia negra exige mucho esfuerzo, pero este problema puede superarse utilizando fondos donde ocultar soportes que usted usará.

Entre las mejores ilusiones de la magia negra se cuentan la de hacer que objetos o personas floten, aparezcan y desaparezcan, y luego que se transporten mágicamente de un lugar a otro del escenario. El mago puede finalizar su actuación desapareciéndose a sí mismo poco a poco, de los pies a la cabeza, o simplemente salir flotando del escenario. Para desaparecer de pies a cabeza, un ayudante cubre al mago con una minicortina negra, del tamaño de una toalla de baño grande. El mago se dirige al lugar justo detrás del cual está la cortina tendida sobre el escenario. El ayudante se coloca tras el mago, estira las manos a los costados de éste y lentamente levanta la cortina hasta donde el mago desee. Así, la parte del cuerpo del ilusionista cubierta por la cortina da la impresión de que desapareciera.

No importa cómo decida concluir su acto, elabore un guión donde se diga claramente lo que hará y aténgase a éste. Podría ser recomendable que su acto tuviese algún hilo narrativo. Incluso podría utilizar como guión algún cuento de hadas. No debe usted temer hablar con el público durante el espectáculo, sólo porque el acto se ejecuta en la oscuridad. El efecto de su voz se amplificará enormemente por la oscuridad del escenario. Su auditorio prestará mucha más atención a lo que usted diga por el hecho de que su visión estará limitada tan sólo a lo que captan. La reducción de un sentido incrementa otro, situación de la cual usted puede sacar provecho.

Harry Kellar

mago magistral

El niño de once años se sentía cansado mientras andaba pesadamente el último medio kilómetro del polvoso camino que lo alejaba de Buffalo, Nueva York. Estaba preocupado. Con nerviosismo lanzó una mirada al anuncio del arrugado periódico que llevaba en la mano. Leyó: "Se solicita niño para trabajo de asistente del Faquir de Ava."

Hacía ya varios días que el anuncio había sido publicado y él sabía que por entonces el puesto probablemente ya estaría ocupado. Si así fuera, el chico habría ido hasta allá en vano. Sin embargo, caminó por un par de puentes de acero, en dirección a una casa imponente, cuando llegó, un pequeño perro color canela se le acercó con determinación. Mientras acariciaba al can, que respondía con gemidos de agradecimiento, un hombre austero, de amplio mostacho y delgadas barbas de chivo apareció por la terraza.

Se trataba de Isaiah Harris Hughes, el famoso mago que se hacía llamar el Faquir de Ava. Éste inquirió si venía por el trabajo, y cuando el chico inclinó afirmativamente la cabeza, Hughes le preguntó su nombre. El muchacho se lo dio: "Harry Keller." Sonriente, Hughes le dijo que lo aceptaba... por una razón muy sencilla: docenas de muchachos habían solicitado el empleo, pero el perrito había gruñido y mordido a todos. Hughes había decidido contratar al primer chico aceptado por el perro. Ocurrió que ese chico fue el joven Harry Keller, quien cambiaría la forma de escribir su nombre y también cambiaría su vida a consecuencia de este encuentro.

Las condiciones del puesto estipulaban unos cuantos dólares al mes, habitación, comida y gastos de viaje incluidos... todo lo que un niño podía desear en los tiempos cercanos a la Guerra Civil de los Estados Unidos. Desde el principio, el joven Harry se deleitó con el trabajo. Una vez contratado, pronto lo llevaron a la tramoya, donde ensayó la manera de trabajar con el equipo de magia que había sido instalado por su nuevo patrón.

Fue aún mayor su emoción cuando partieron por el camino pocas semanas después y Harry se vio a sí mismo compartiendo el escenario con el renombrado Faquir de Ava quien, a pesar de su título oriental, actuaba ataviado con el tradicional esmoquin usado por todos los magos de la época.

Harry gozaba al escuchar los relatos de hechicería que contaba el faquir mientras esperaban en los entronques ferroviarios, viajaban por el campo en diligencia o descansaban sentados en las camas de cómodos hoteles entre un espectáculo y otro. Sin embargo, compartir el escenario con el mundialmente famoso faquir era aún más maravilloso. El trabajo de Harry consistía en bajar con el público y pedir prestado un sombrero dentro del cual el faquir lanzaba unas monedas que se levantaban por los aires; después usaba el sombrero para preparar una tortilla de huevo mágica. Harry pedía también anillos y relojes que el mago hacía desaparecer de diversas maneras para luego aparecerlos en condiciones igualmente misteriosas.

Después de varias temporadas, Harry decidió comenzar su carrera de mago independiente. Pronto cambió la escritura de su nombre por la de "Kellar", a fin de distinguirlo de Heller, quien era un connotado mago de ese tiempo. Sin embargo, resultaba difícil para un novato alcanzar el éxito, de modo que aceptó un empleo temporal como ayudante de los hermanos Davenport, un par de trabajadores del ministerio dedicados a convencer a las crédulas multitudes de que ellos eran verdaderos médiums.

Más tarde, Kellar trabajó en una compañía llamada The Royal Illusionists (Los ilusionistas reales), quienes el 15 de mayo de 1876 estrenaron una temporada de tres semanas en San Francisco y luego partieron hacia el oeste para realizar una gira por el Oriente. Los actos mágicos de Kellar y su versión de varios de los trucos de los Davenport le ganaron fama en muchas tierras. Incluso actuó en una presentación por orden real ante el rey Thibaw de Birmania, en el palacio real de Ava. Después de eso, Kellar envió por correo una copia del programa a su viejo amigo y tutor, Isaiah Hughes, quien ya estaba retirado y vivía cómodamente en su hogar cercano a Buffalo.

Aunque los viajes de Kellar fueron un éxito, su meta más grande era presentar su propio gran espectáculo de magia en escenarios estadounidenses. Tras ocho años de peregrinaje llegó a Londres. Adquirió algunas ilusiones nuevas y extrañas, entre las cuales había un muñeco automático de tamaño humano llamado Psicópata, el cual jugaba un juego de *whist* con gente del auditorio. A lo largo de su carrera, la personalidad de Kellar experimentó tantos cambios como su magia. Con el tiempo, adoptó cierta austeridad y se dejó crecer un grande y tupido mostacho que le daba una apariencia profesional que recordaba al Faquir de Ava.

Cuando Kellar se retiró, construyó una casa en el sur de California y un teatro en miniatura donde ensayaba nuevos trucos mágicos, entre ellos una forma perfeccionada de levitación. A menudo sentía urgencia por regresar a los caminos, pero sólo una vez volvió del retiro. Fue durante la Primera Guerra Mundial cuando encabezó una función a beneficio dada por unos magos en el Hipódromo de Nueva York.

Para entonces Kellar era considerado como el decano de la magia y muchos de sus colegas de hechicería pensaron que el Día de Kellar, como llamaron a ese acontecimiento, debería celebrarse anualmente. Cosa curiosa, el deseo fue profético, pues ocurrió que ese día era 11 de noviembre de 1917. Justo un año después se firmó el armisticio que puso fin a la Primera Guerra Mundial; así, el Día de Kellar cae en día feriado desde entonces. Pocos magos festejan actualmente el Día de Kellar.

Después de esa última aparición en público, Kellar siguió haciendo presentaciones privadas diarias en su teatrito, hasta que una breve enfermedad lo llevó a la muerte el 10 de marzo de 1922.

Ilusión de la casa de muñecas

Este tipo de ilusión siempre ha formado parte del maletín de trucos de los magos.

El ejecutante entra al escenario trayendo consigo una parte de la casa de muñecas. Ésta tiene tres secciones: el techo, el frente con una sección lateral y el fondo con otra sección lateral. El mago levantará cada pieza y la mostrará por el anverso y el reverso. Luego armará las partes para formar una casa de muñecas. La casa completa medirá 90 cm de altura (al punto más alto del techo), 60 cm a lo ancho (el frente de la casa) y 90 cm de profundidad (la longitud de los lados).

Cuando la casa está armada por completo, puede ser girada para demostrar que no hay allí ningún tipo de truco. A la orden del mago, el techo brinca de su sitio y salen una o dos personas, según el gusto del mago. Es una buena manera de hacer aparecer al ayudante. A veces, el ayudante aparecerá al mago. Aunque este truco es llamado ilusión de la casa de muñecas, la casa se puede pintar como una locomotora, un autobús, una escuela, un automóvil, etc. No hacen falta escotillones o dispositivos especiales en el escenario para llevar a cabo el truco.

✦ EL SECRETO: Este efecto requiere de acompasamiento y coordinación entre el ejecutante y quienes aparecerán mágicamente. Cuando el mago entra al escenario con una parte de la casa de muñecas, las otras dos partes ya están allí. El techo está de pie, apoyado en un extremo de modo tal que su pico queda frente al auditorio. Esta posición permite que alguien esté escondido detrás, lejos de la vista del público.

La sección del fondo está apoyada contra la sección del techo. El mago trae la sección del frente. Si el escenario tiene cortinas o alas, coloque la sección del techo lo suficientemente cerca como para que alguien pueda ir subrepticiamente del ala o la cortina al espacio posterior del techo.

Si el escenario carece de cortina o ala, la persona debe permanecer tras el techo hasta el momento de "aparecer". Una posible opción es que usted entre arrastrando el techo mientras la persona escondida se arrastra también detrás de éste. Luego usted regresa por otra pieza y la recarga contra el techo. Por último, regresa con la siguiente y última sección de la casa.

Con las tres piezas en el escenario, el mago toma la sección frontal. La muestra por el anverso y el reverso y la coloca justo a un lado de la sección del techo. Luego toma la sección del fondo, la muestra por todas sus partes y la coloca junto a la sección del frente. El mago comienza a doblar la sección entre el frente y la parte lateral (véase el dibujo B). En este punto, habrá espacio entre la sección del fondo y la casa para que quienes están escondidos entren secretamente en la casa. Ya unido el frente y habiendo entrado a la casa quienes permanecían ocultos, el ejecutante camina a la parte posterior de la casa para unir el último tramo. Luego toma el techo, lo muestra por todos sus lados y lo coloca sobre la casa. Ahora la casa está totalmente armada (dibujo C).

En esta posición, la persona o las personas que habrán de aparecer están escondidas y seguras dentro de la casa. El mago puede deslizarla hacia el centro del escenario y darle vueltas. Al momento de moverla, el mago debe cuidarse de no hacer movimientos rápidos, pues los ocupantes tienen que arrastrarse a la misma velocidad. Recuerde: al hacer girar la casa, asegúrese de hacerlo sobre su mismo eje. Así, quienes están dentro sólo tendrán que permanecer en un mismo punto mientras la casa gira alrededor de ellos.

Llegado el momento de la o las apariciones, el mago puede golpear ligeramente la casa. La gente de su interior sólo tendrá que ponerse de pie y empujar el techo al momento de hacerlo. El techo saldrá volando hacia la parte trasera de la casa y lejos de allí; por lo regular caerá extendido sobre el

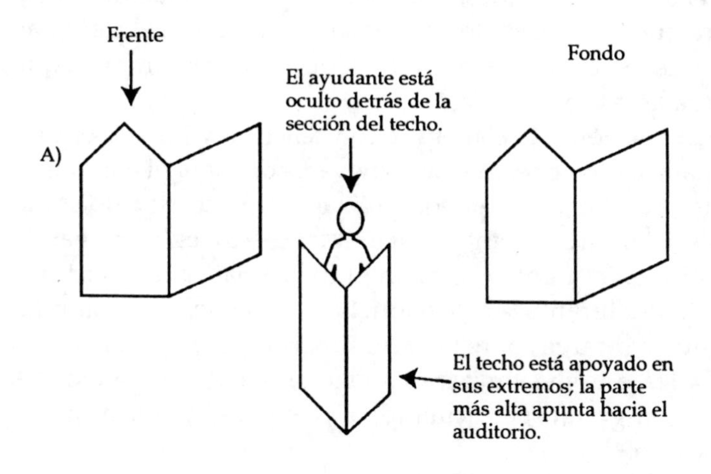

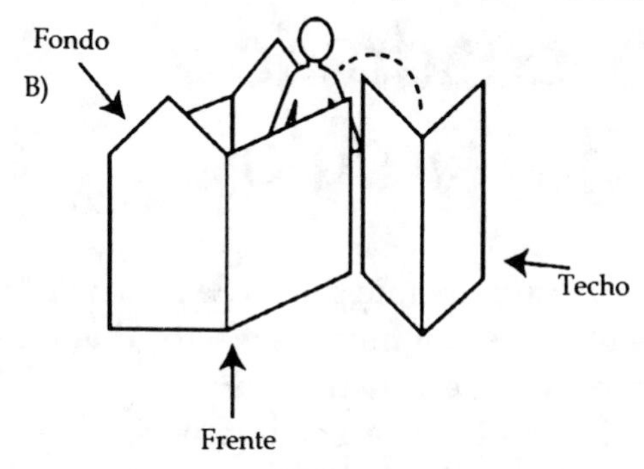

C) Ahora la casa está totalmente armada.

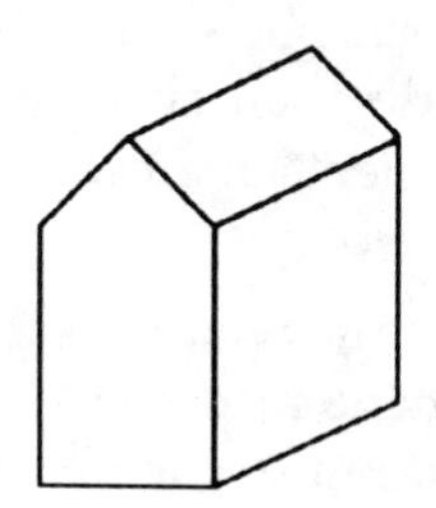

escenario. El mago desarma luego la parte frontal de la casa para que los aparecidos puedan caminar hacia el frente de la escena. Con esta acción se demostrará también que ahora la casa está vacía.

Esta ilusión está elaborada con sencillez y puede ser presentada tanto por el inexperto novato como por el más depurado profesional. Se puede utilizar cartón corrugado como material de la casa, cinta para unir las secciones, y una banda elástica en el frente y otra en el fondo para unir estas dos secciones durante la actuación. La sección del techo simplemente se recarga sobre la parte superior de la casa armada.

Quizá esta ilusión parezca algo simple, pero cuando se hace con gran espectacularidad y estilo, el público queda pasmado.

Círculo, cuadrado y cuadrado, círculo

Este truco encierra un principio básico de la magia. Su metodología puede utilizarse en muchos efectos diferentes, tanto de salón como para el escenario.

El mago exhibe una gran caja cuadrada con cuatro lados pero sin tapa y sin fondo. La levanta de modo tal que el público pueda ver a través de las aberturas. Muestra también una caja cilíndrica (el círculo), que tampoco tiene ni tapa ni fondo, para que todos vean que está vacía. El círculo es colocado sobre el cuadrado y en el momento de decir la palabra adecuada, mágicamente aparece un asistente.

✦ EL SECRETO: Este truco puede realizarse en pequeño, para auditorios de tamaño mediano, o a gran escala, en escenarios grandes. Usted puede aparecer o desaparecer objetos o personas, de acuerdo con el tamaño del círculo y el cuadrado. El truco se hace con un cilindro y una caja. El cilindro debe ser lo suficientemente grande como para que la caja quepa totalmente en su interior. Tanto la caja como el cilindro carecen de tapa y fondo. Ninguno de los dos está trucado. En la forma más simple del acto, la persona u objeto que aparecerá a la orden del mago, se coloca previamente dentro del cilindro, el cual yace sobre una mesa o a mitad del escenario, según la dimensión del truco. La caja es exhibida para demostrar que está vacía. Luego se coloca dentro del cilindro. A continuación se levanta el cilindro y se muestra que está vacío, pero ahora la persona u objeto se esconde dentro de la caja. Esta persona ha estado ahí desde el inicio de la actuación (por ello, conviene ejecutar este truco hacia el principio de su presentación). Cuando el cilindro se vuelve a colocar sobre la caja, el truco ya se ha consumado. Desde el punto de vista del público, usted ha demostrado que tanto la caja como el cilindro están vacíos.

VARIACIONES: La caja tiene una abertura en su interior, a manera de ventana. Sin darle demasiada importancia a esto, retire el cilindro de brillantes colores (si es que así lo ha decorado), quitándolo del frente de la caja. Ahora la ventana mostrará lo que parecerá ser el oscuro interior de la caja. Luego coloque de nuevo el cilindro y levante la caja. Ya antes ha mostrado que ambos están vacíos. Entonces, ¿dónde estaba la persona o el objeto? Hay un cilindro interno (dentro de la caja) que el público no ve (ni puede ver) porque siempre está oculto en el interior de dicha caja o del cilindro, o dentro de ambos, dependiendo de que alguno de ellos, o ambos, estén en su lugar. El diámetro del cilindro interior es más pequeño que el del cilindro de colores y está pintado uniformemente de negro, es decir, del mismo color que el interior de la caja y también del cilindro de colores.

Cuando el público ve a través de la ventana después de que el cilindro de colores ha sido hecho a un lado, lo que en

1) Se exhibe la caja para demostrar que está vacía. No tiene tapa ni fondo.

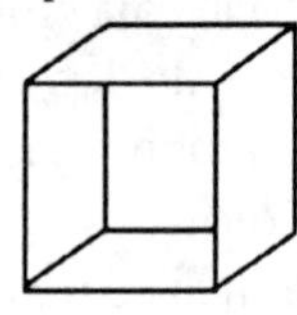

El ayudante está oculto en el círculo.

2) El cuadrado se coloca dentro del círculo.

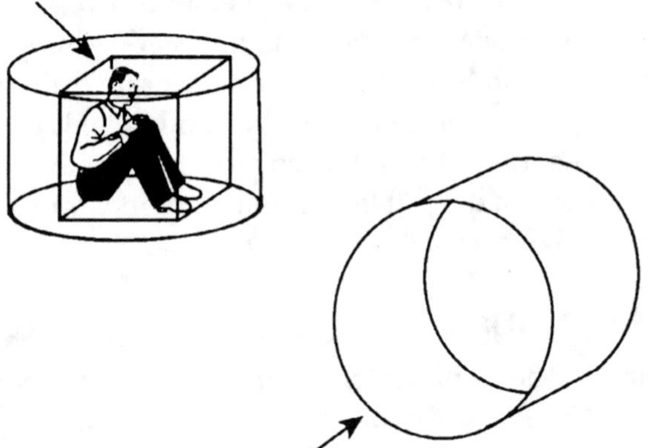

3) Se exhibe el círculo para demostrar que está vacío. Ahora el ayudante está oculto en el cuadrado.

4) El círculo se coloca alrededor del cuadrado. El ayudante aparece mágicamente.

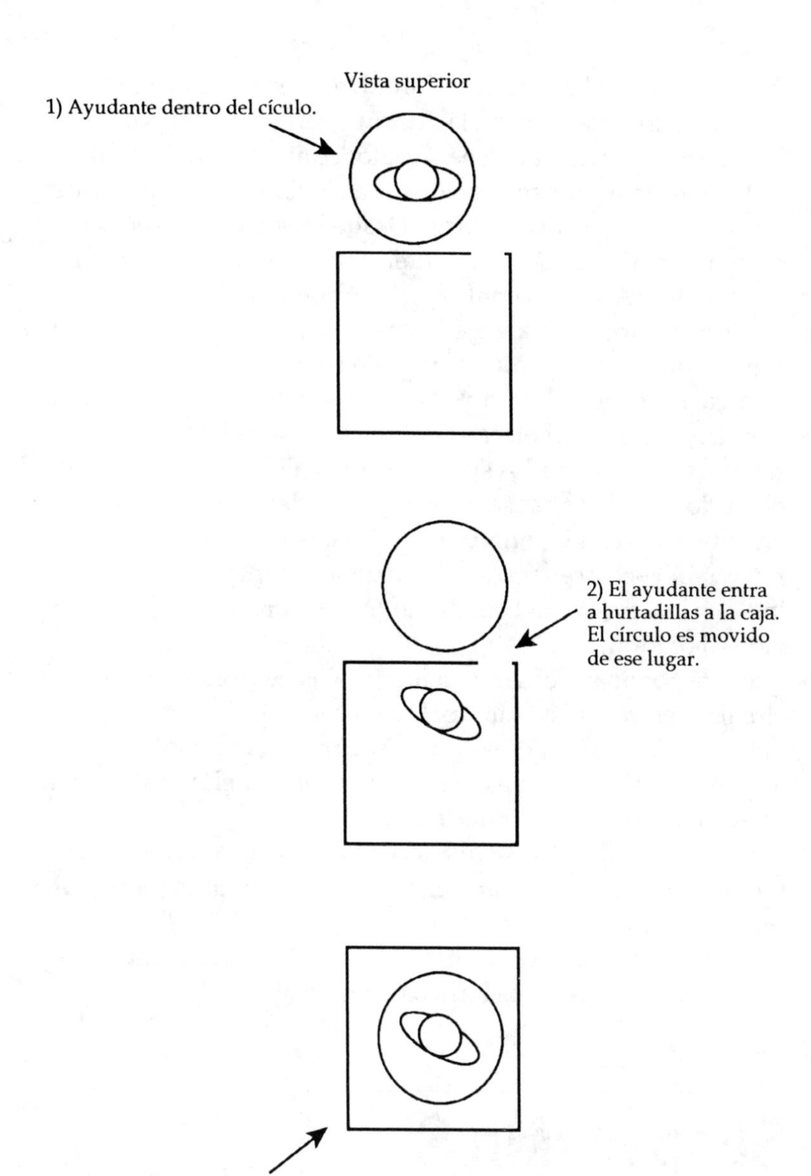
Vista superior
1) Ayudante dentro del cículo.
2) El ayudante entra a hurtadillas a la caja. El círculo es movido de ese lugar.
3) El cuadrado se arma cuando el círculo es colocado en su interior. El ayudante ya puede salir.

realidad ve es el exterior del cilindro interno y no el interior de la caja. En esta versión, la ilusión puede ser vista por todos lados, pues el mago no tiene ángulos conflictivos que ocultar.

Una variante consiste en que sea el cuadrado el que entre en el cilindro y no al contrario. Desde luego, esta disposición obligaría a que el escondite interior fuese un cuadrado y no un círculo. ¿Aún está confundido? Espere, todavía hay más.

Otra versión es la de ejecutar este acto a la manera de la ilusión de la casa de muñecas. Sólo se utilizan un cilindro y una caja o cuadrado. La persona se encuentra oculta en el cilindro, el cual está colocado detrás del cuadrado. El cuadrado no está unido por todos sus lados; en realidad, la unión entre el fondo y un lado está entreabierta. Al dar comienzo el acto, levante el cuadrado y muestre que está vacío. Al colocarlo de nuevo sobre el escenario, póngalo directamente frente al círculo. La parte trasera del cuadrado (que es una pieza de cuatro lados de cartón) queda abierta. Al levantar el círculo, la persona que está por aparecer saldrá a hurtadillas de su escondite en el círculo y entrará al cuadrado. Luego coloque el círculo dentro del cuadrado y hágalo pasar por encima del ayudante que va a aparecer. Déle vueltas a la caja y una el fondo y el lado abiertos. Luego haga que el ayudante salga.

Cuando se ejecute esta ilusión adaptada al tamaño de una mesa, usted puede aparecer un conejo o bufandas o un número ilimitado de artículos.

No importa cómo se ejecute, en pequeña o gran escala, éste es uno de los elementos básicos de la magia.

Suspensión S

Esta ilusión se veía a menudo en carpas de espectáculos o en circos ambulantes. Aún se realiza de vez en cuando en sesiones fotográficas, entre las que destacan las que tomó Doug

Henning en un tejado y las de Mark Wilson para las portadas de *Magic Magazine* (Revista de magia).

Al centro del escenario hay un tablero que descansa sobre el respaldo de dos sillas colocadas frente a frente. Al ayudante, o a un invitado del público, se le pide que se recueste sobre el tablero. Primero se retira una silla y luego la segunda. El tablero parece flotar en el aire. Para demostrar que no se han utilizado cables, se hace pasar un gran aro alrededor del tablero y el asistente. Las sillas vuelven a ser colocadas en su lugar y el ayudante baja del tablero.

La ilusión es simple, llana y fácil de realizar. Es un acto no costoso que muchos magos jóvenes o aficionados suelen omitir. Quizá esto se deba a que ellos consideran que es un truco pasado de moda. Sugiero que sea la primera ilusión que el mago novato ejecute en el escenario.

✦ EL SECRETO: El tablero está sostenido secretamente por un poste de metal que conecta el piso con el tablero suspendido. El poste puede estar asentado directamente en el piso del escenario, o bien, conectado a una base que descansa sobre el piso. El poste se levanta desde el piso hasta una altura aproximada de 75 cm. En este punto da una vuelta (es decir, se dobla) para correr paralelo al piso y conectarse con el tablero. En su camino hacia el tablero, el brazo paralelo presentará curvaturas parecidas a las de una S o una Z, que es de donde toma el nombre esta ilusión.

Si bien es innecesario que el brazo se curve de esta manera, así se hacía por la conveniencia de mover el aro o anillo alrededor del tablero flotante.

El mago se sitúa detrás del tablero y con sus piernas esconde el ascenso vertical del poste. Una cortina frente al tablero cuelga hasta el piso del escenario. Una vez que se coloca en su posición detrás de la ilusión y habiendo escondido entre sus piernas el poste ascendente, el mago ya no se mueve de este sitio. Alcanzada esta posición, el ayudante se recuesta sobre el tablero. El mago entonces se estira alre-

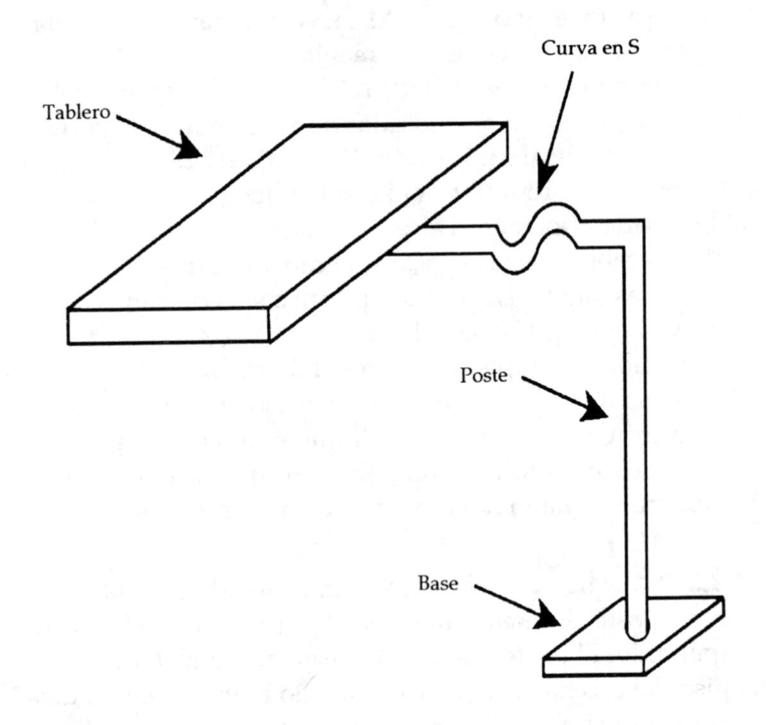

dedor del tablero y dobla la cortina hacia arriba para cubrir al asistente. Posteriormente las sillas son retiradas; el ayudante parece quedar flotando. A continuación el mago hace pasar un aro alrededor del sujeto flotante.

Habiendo hecho esto, la cortina es bajada, las sillas son colocadas de nuevo en su lugar y el asistente se levanta. Oh, maravillas de la magia...

En los días del vodevil y los espectáculos ambulantes, por lo común los cirqueros representaban esta ilusión, y no los magos. Tal vez no sea muy creíble o no lo parezca mucho, pero bajo las circunstancias actuales puede ser efectiva. Se ve bien en los espectáculos infantiles. No recomiendo basar toda la presentación en este truco, puesto que su ejecución es breve, pero puede incluirse de manera agradable en algunos espectáculos.

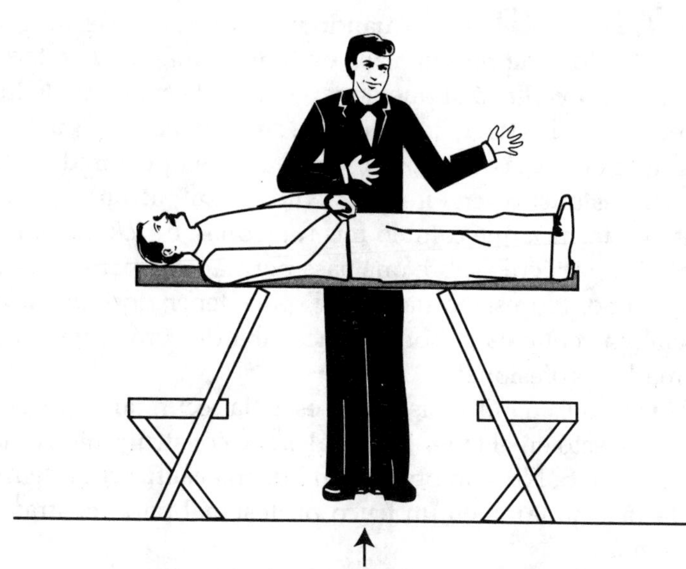

El mago se coloca detrás del tablero y oculta entre sus piernas el tramo vertical del poste.

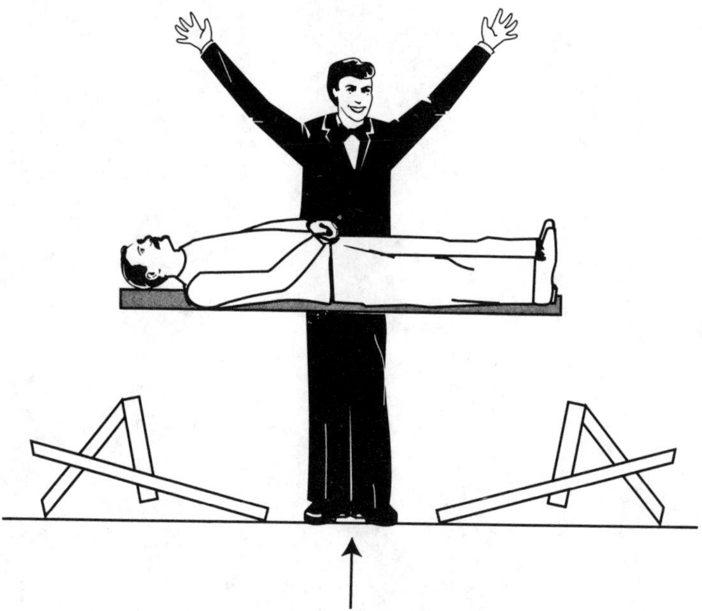

Al retirar las sillas el ayudante flota.

NOTA DEL AUTOR: Cuando yo empecé a hacer magia, estaba ansioso de presentarme en todo momento y en todo lugar. Un circo llegó al pueblo y necesitó de la ayuda de lugareños para los traslados. Durante su estancia en el pueblo, le ayudé en varias ocasiones. Un día tuve oportunidad de ejecutar este truco en el espectáculo. A mi patrón le gustó tanto mi técnica que cambió mis funciones: de los traslados pasé al espectáculo sobre una base permanente para el resto del verano. No estaba nada mal, para tener doce años. A cincuenta centavos la hora me acababa de convertir en un animador profesional.

Más tarde, cuando asistía a la escuela secundaria, mi primer proyecto en el taller de metales fue construir mi propia suspensión S. No sólo obtuve una buena calificación de mi profesor sino también un truco profesional para mostrar a los demás.

Harry Houdini

el artista del escape

Houdini, el más grande artista del escapismo en el mundo y el mago más conocido a nivel internacional, nació en Appleton, Wisconsin, el 6 de abril de 1875. El hijo del rabino Mayer Samuel Weiss, el joven Houdini o, como se le conocía de muchacho, Erich Weiss, a los seis años de edad empezó a hacer trucos como pasatiempo. Houdini decidió cambiar su nombre de Erich Weiss por su ídolo de la magia, Robert Houdin. La adición de la "i" hizo que Houdini sintiera que era "parecido" a Houdin.

Uno de los primeros trucos de Houdini consistió en aparecer un objeto abajo de alguna de tres tazas. El truco se llamaba ¿Dónde quedó la bolita? (véase pág. 77). Entre los siete y los diecisiete años de edad, Houdini tuvo muchos trabajos de medio tiempo y de tiempo completo. Trabajó como cerrajero, limpiabotas, empaquetador y repartidor de diarios. En su tiempo libre, siempre practicó la magia.

La parte más ingeniosa de las primeras presentaciones de Houdini era su prestidigitación con estilo circense. Un espectáculo circense consiste en hacer una sola ilusión o un solo truco y luego ejecutar algún malabarismo, por ejemplo, u otro acto de destreza. Sus ejecuciones con esposas tuvieron menos éxito porque el público pensaba que utilizaba esposas con truco, lo cual no era cierto en este caso. No fue sino mucho después cuando comprendió la importancia de ser espectacular, además de experto. Los espectáculos de estilo circense eran burdos, ásperos y sin adornos. En 1891, Harry Houdini y su hermano Theo comenzaron a presentarse como los hermanos Houdini. Habían practicado todo el año de 1890 y ahora estaban listos para presentar su primer espectáculo. Aquello no era realmente un espectáculo: los trucos de magia eran caros y difíciles de conseguir, de modo que ellos tenían sólo unos cuantos trucos.

El truco que mejor realizaron los hermanos Houdini fue el de la metamorfosis (también conocido como baúl de sustitución). Esta era una variante del truco que antes, en 1864, realizara el mago John Maskelyne. En la versión de Houdini, Theo tenía las manos atadas y luego era encerrado en una caja de madera. Harry se subía a la parte superior de la caja y tiraba de una cortina que cubría por todos lados la disposición escénica. A la cuenta de tres, Theo descorría rápidamente la cortina y aparecía de pie sobre la caja donde instantes antes había estado Harry. Luego abría la caja y dentro de ella, atado, estaba Harry Houdini.

Ni con toda la práctica del mundo se podían pagar las cuentas. Harry y Theo hicieron todo lo posible por obtener trabajos donde se les pagara, pero sus pláticas con agentes y sus visitas a los clubes locales resultaron infructuosas. Para el verano de 1892, Harry comenzó a albergar dudas respecto a la actuación. El hecho de que su padre enfermara complicó el problema. El rabino Weiss murió en octubre de 1892, con lo cual Harry Houdini tuvo que fungir como proveedor de su madre, su hermano y su hermana. Houdini tenía casi dieciocho años de edad.

Los hermanos Houdini salieron a los caminos en busca de trabajo; lo encontraron en Chicago, Illinois. Pronto se volvieron muy conocidos en los circuitos de los espectáculos marginales gracias a la metamorfosis. Trabajando por 10 dólares semanales, Houdini comenzó a aprender el arte de abrir cerraduras de un mercader oriundo de Chicago, y también empezó a pensar en la manera de usar dicho arte en sus actos. Los primeros cerrojos de los que escapó fueron los de unas esposas de policía. Retaba a los policías locales a que si lo esposaban él podría escapar.

En la primavera de 1894, mientras actuaba en Nueva York, Houdini conoció a Bess, la mujer que pronto se convertiría en su esposa. Se casaron en junio de 1894 tras un muy corto compromiso. Poco tiempo después de su boda, Theo dejó el acto para trabajar por su cuenta, mientras que Harry y Bess continuaron bajo el nombre de los Houdini.

Finalmente, en 1898, la oportunidad de Houdini llegó con una crónica extraordinariamente favorable de parte de un periódico, que se ganó por sus habilidades de escapista. A partir de entonces logró conseguir trabajos fijos como mago y escapista. La carrera de Houdini arrancó en 1899, cuando él y Bess se embarcaron a Europa. En el escenario europeo nunca se había visto algo parecido a los Houdini. Su actuación incluía ahora un poco de magia y mucho de "escapismología". Desde luego, su acto final seguía siendo la metamorfosis.

Conforme crecía su reputación en Europa, Houdini sintió nostalgia por los Estados Unidos. Al volver a su país, era ya una gran estrella que cobraba los precios más altos que jamás había alcanzado un mago. Él era el cartel principal dondequiera que se presentara.

Un día, en su vestuario en Montreal, Canadá, un estudiante que había oído sobre la capacidad de Houdini para recibir fuertes golpes en el estómago sin sentir molestia, le lanzó dos o tres golpes de prueba cuando Houdini estaba distraído. A sus cincuenta años, el estómago de Houdini no tenía la misma fortaleza que en su juventud. Los puñetazos desgarraron un apéndice ya de por sí lastimado, lo cual ocasionó la muerte de Harry Houdini varios días después en Detroit, Michigan, el día de las fiestas de Todos los Santos de 1926.

Aunque estaban casados, Houdini y su esposa Bess nunca pudieron tener hijos. La leyenda de Houdini se apoya básicamente en el misterio que rodea la vida de este hombre y en el misterio que él creó. A diferencia de los magos de su tiempo, Houdini siempre realizaba despliegues publicitarios para que fueran vistos por la mayor cantidad posible de gente y para que los diarios les dieran la debida cobertura. En sus hazañas más famosas, se le veía colgado cabeza abajo desde los edificios o puentes más altos, tratando de escapar de una camisa de fuerza.

Su vida aparecía en la prensa casi todos los días durante el primer cuarto del siglo XX, y aparecía en tantos encabezados que sus colegas magos sentían envidia. Estas constantes noticias, donde se citaban una tras otra las ilusiones, arrojaría material como para hacer una emocionante telenovela. Una y otra vez, Houdini, el valiente héroe, aceptaba los retos de los expertos y salía victorioso gracias a los que parecían ser recursos sobrehumanos.

Houdini, reverenciado por millones de personas en todo el mundo, era tan popular que su nombre aparecía en el diccionario de su época. "Houdinizar" significaba soltarse o liberarse de un confinamiento (esposas, camisas de fuerza, etc.). Si bien su nombre ya no aparece en ellos, aún es una palabra familiar en lengua inglesa, aparece en los libros de marcas, en las enciclopedias y en todas las discusiones sobre ilusiones mágicas, trucos sorprendentes o misterios de lo desconocido.

Escapó de cuanta celda era imaginable y de cuanto dispositivo ideaba o inventaba la sociedad. Sin embargo, no ha escapado de nuestra memoria. El Gran Houdini siempre estará ahí.

Baúl de sustitución

Esta ilusión, más que ninguna otra, ha dado el impulso clave en la carrera de quienes la realizan. Tal vez el primer mago que se hizo famoso ejecutándola haya sido Harry Houdini.

Al centro del escenario se halla un gran cajón de tablas. Un grupo de espectadores lo inspeccionan de cerca, en busca de puertas escondidas u otras formas de escape. Luego la comitiva esposa al ayudante. Ya esposado, éste es introducido en un saco cuya abertura es amarrada después. Los asistentes colocan al ayudante dentro del cajón y cierran la tapa. A lo largo de la tapa hay varias argollas. Para asegurar la tapa firmemente se colocan candados en cada una de las argollas. Acto seguido se amarran sogas y cadenas alrededor del cajón. Las cadenas, asimismo, se aseguran con llave. Mientras tanto, el mago observa cómo se realiza este trabajo.

Cuando todo está listo, el grupo se aleja del embalaje. El mago levanta un aro con una cortina alrededor y, con ésta en mano, sube a la tapa del embalaje. Sostiene el aro entre sus manos, permitiendo que la cortina llegue hasta la tapa, ocultando el área que va desde la cintura del mago hasta la mitad de la caja. Todo está listo para realizar la ilusión.

El mago cuenta "uno" y luego "dos". Cada vez que el mago cuenta un número, la cortina se levanta más sobre su cabeza, sin descubrir la parte alta del embalaje. A la cuenta de "tres", el mago suelta la cortina. Donde antes había estado parado el mago, en la tapa del embalaje, ahora yace de pie el ayudante; el cambio de posiciones ha ocurrido en sólo tres segundos.

Luego el embalaje es desatado, desencadenado y abierto. El saco es desatado y en su interior está el mago, esposado, pero con ropa distinta. Justo frente a los ojos del público y de la comitiva (que está en el escenario) ha ocurrido una auténtica metamorfosis.

✦ EL SECRETO: Primero que nada, el embalaje tiene truco. Un lado del tramo superior puede girar hacia el interior del embalaje. (En algunos casos se usa un baúl, en otros una caja de embalaje. Cualquiera de los dos puede servir.) Por lo general, el truco no es detectado gracias al ingenio del carpintero. Un buen carpintero podrá hacer que el secreto pase inadvertido, tal como se muestra en las ilustraciones. Además, la mayoría de la gente busca la manera de abrir el embalaje hacia afuera, no hacia adentro. Recuerde: todas las cadenas y la soga del exterior de la caja no impedirán que la tapa caiga hacia adentro, pues así está diseñada, ni impedirá que el ayudante salga a través de éstas y se ponga de pie sobre el embalaje.

Comencemos por las esposas. Pueden tratarse de falsas esposas, las cuales serán abiertas fácilmente por el asistente, o bien éste puede traer en su bolsillo las llaves. Nadie concibe este truco como un acto de escapismo. El saco puede estar trucado también; por ejemplo, puede carecer de fondo. O bien, al atar al asistente, éste puede meter la mano por el cuello del saco. De esta manera, la soga ata tanto la mano del asistente como el cuello del saco. Al mover la mano, el saco se desamarra.

Esta ilusión parece ejecutarse en escasos tres segundos. En realidad, para cuando el embalaje quede cerrado con llave, atado y encadenado, ya habrán transcurrido varios minutos. El ayudante estará libre de las esposas y fuera del saco mucho antes incluso de que el cajón quede asegurado.

Tan pronto como el mago se coloca en la tapa del cajón, el asistente hace caer la sección de la tapa y se desliza a través de ella. Permanece oculto tras la cortina, junto al mago.

Cuando el mago cuenta "uno" y "dos", el asistente toma la cortina y el mago se introduce en el cajón. Al decir "tres", el mago cierra la puerta de la tapa y el público ve aparecer al asistente. Cuando la cortina aún está en su sitio y el público no se recupera de la sorpresa, el mago se asegura de que la tapa esté de nuevo en su sitio.

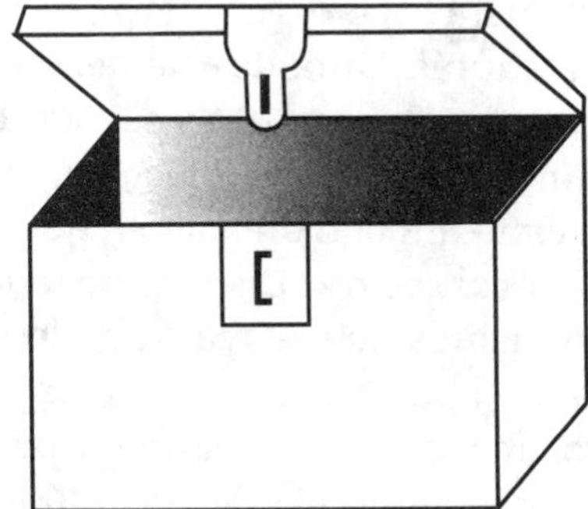

Un grupo de gente del público inspecciona de cerca el embalaje, en busca de escotillones. La parte trucada del tramo superior del embalaje no puede ser detectada gracias a la creatividad del carpintero.

El mago cuenta "uno", luego "dos". Cada vez que cuenta un número, el mago levanta más la cortina sobre su cabeza, sin descubrir la parte alta del embalaje.

Un lado del tramo superior puede deslizarse hacia el interior del embalaje.

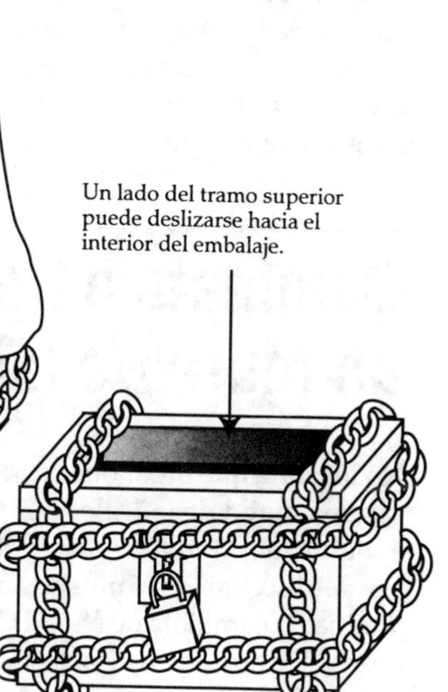

El ayudante salta para bajar del cajón y la comitiva empieza a deshacer las ataduras. Durante este tiempo, el mago se cambia de ropa, se coloca las esposas y se mete en el saco.

Esta ilusión es un truco que exige mucha práctica de parte del mago y el asistente. En el momento en que ambos comparten la tapa del embalaje no se dispone de mucho espacio.

Todos los movimientos que se realizan, desde el conteo para que el asistente aparezca sobre la tapa hasta que él mismo suelte la cortina, deben ser seguros y precisos.

El cambio de vestimenta y la liberación de todo este equipo es lo que realmente da brillo a la ilusión. El efecto es particularmente asombroso cuando la nueva ropa es distinta a la anterior. De esta manera, el auditorio no dejará de notar el cambio de prendas, en especial porque la ropa anterior se queda dentro del baúl.

Este acto puede realizarse dentro de un teatro o afuera, en la calle. No hace falta cuidar ningún ángulo de visión y cuando se ejecuta bien es un truco realmente espectacular.

Una vez más, no es conveniente que el embalaje o baúl sea muy brillante. Cuanto menos obvio sea el truco, más real parecerá la ilusión.

Caminata a través de un muro de ladrillo

No importa que mediante esta ilusión usted pretenda atravesar una pared de ladrillos o la Gran Muralla China. El truco es el mismo. Este acto puede realizarse en exteriores o dentro del escenario. A muchos aficionados a la magia les es familiar la caminata de David Copperfield a través de la Gran Muralla China, pero quizá les sorprendería saber que fue Harry Houdini quien realmente hizo famoso este efecto ya desde principios del presente siglo.

El mago invita a un grupo grande de personas del público para que inspeccione el muro que atravesará. Estas personas tendrán oportunidad de golpear la pared, comprobar que no existen pasos ocultos y además verificarán cada elemento de la escenografía.

El mago pedirá a esta comitiva que se coloque en ambos lados del muro para ver cada paso del acto. En el momento oportuno, el mago se acercará a la parte central de la pared. El grupo de ayudantes armará un biombo opaco de tres partes alrededor del ejecutante. El mago levantará sus manos para que sobresalgan del biombo y toda la gente pueda verlas. Tan pronto como las manos del mago bajan y se ocultan tras el biombo los ayudantes retiran y desarman por completo el biombo. El mago, según todos los indicios, ha desaparecido dentro del muro. Los ayudantes se trasladarán luego al otro lado de la pared y volverán a armar el biombo. Detrás de éste, de inmediato se verá al mago quien, en apariencia, termina su caminata a través de la pared. Otra vez, el biombo es hecho a un lado rápidamente. Todo puede ser inspeccionado de nuevo concienzudamente.

✦ EL SECRETO: Houdini compró los derechos del truco original en mayo de 1914. Sólo dos meses más tarde, Houdini ejecutaba su versión en Nueva York. Poco después, muchos otros lo siguieron con sus propias versiones. La ilusión era un gran éxito en todas partes donde se presentaba.

Daré las instrucciones para realizar este truco de la manera más común y práctica:

El biombo se compone de tres secciones. Cada una es aproximadamente de 1.80 m de altura y 60 cm de ancho. Están hechos de manera similar a los marcos de los cuadros; son estructuras tubulares de metal cubiertas con un material opaco. Estas tres piezas deben poder unirse entre sí a fin de sostenerse en pie. Aunque no tienen mucho de extraordinario, hablaré de ellas dentro de un momento. El muro, el piso alrededor de éste y todos los demás elementos que intervienen no tienen ningún tipo de alteración.

Los ayudantes visten bata de obrero, gorros y anteojos. Todos ellos son casi idénticos entre sí. Siempre hay muchos ayudantes al momento de ejecutar este truco, sin mencionar a la comitiva que observa desde el escenario. Este efecto de multitud crea en el escenario y alrededor de la pared una confusión muy grande y deliberada.

Cuando es rodeado por el biombo, el mago se pone, en secreto, una bata, anteojos y gorro. Estas prendas han sido escondidas en un compartimiento secreto del biombo que colocan alrededor del mago. Luego, en medio de la confusión, inadvertidamente éste sale por un costado de la pantalla y se entremezcla con los demás obreros, perdiéndose en la multitud. Las manos que el público observa son manos artificiales controladas por uno de los ayudantes. Las manos están unidas a un cable de acero para ballesta en el interior del biombo y uno de los ayudantes puede moverlas con un cable que llega hasta él. Cuando el biombo es retirado, las manos falsas son escondidas por uno o más de los ayudantes.

El mago forma parte del equipo que coloca de nuevo el biombo en el otro lado del muro. En el momento oportuno, se desliza detrás de la pantalla, se quita el gorro, la bata y los anteojos, y luego aparece como si hubiese cruzado la pared. Nuevamente, los ayudantes ocultan toda la parafernalia secreta al tiempo que desarman el biombo.

Todo el truco puede realizarse en unos cuantos segundos; lo que en verdad es necesario, es llevar la cuenta del tiempo y trabajar en equipo. Para ejecutar este tipo de acto hace falta mucho talento y habilidad. Al igual que todas las ilusiones donde se requiere de muchos asistentes, la práctica la perfecciona.

Como puede usted ver, este es más un acto de cambio rápido que un acto de magia. Sin embargo, al final, el éxito radica en la capacidad del ejecutante para brindar espectáculo. Para que este efecto cause un impacto completo, es necesario vigilar bien los ángulos de visión. Si se ilumina el biombo en el momento adecuado, puede generarse el efecto de que el mago en realidad desaparece por un lado y aparece del otro lado del muro.

¿Dónde quedó la bolita?

Este juego o truco fue originalmente un acto de tahúres. Houdini, al principio, lo utilizó para ganar dinero, pero luego lo presentó como un acto de magia. Debe ejecutarse así, como magia, y no como estafa.

El mago muestra tres tapas de botella. Bajo una de ellas coloca una moneda u otro objeto pequeño y se retira de la vista del público. Se le pide a un miembro del auditorio que revuelva las tapas. Cuando el mago regresa a escena, puede indicar de inmediato bajo cuál de ellas está oculta la moneda.

✦ EL SECRETO: Se puede usar cualquier tapa de botella. Todas deben ser iguales. El truco radica en la moneda: tiene un cabello oscuro pequeño pegado a ella. El cabello sobresaldrá de la tapa de manera invisible en virtud de que el truco se realiza sobre una superficie oscura, de modo que será difícil advertirlo. Si usted utiliza pegamento blanco, aplique sólo una gota. Ésta se volverá invisible también. Cuando haya levantado la tapa para demostrar dónde se ocultaba la moneda, recoja la moneda, guárdela en su bolsillo y deje las tapas sobre la mesa. Por lo común, los espectadores tomarán las tapas para examinarlas. Si desean ver la moneda, extraiga de su bolsillo una moneda similar, previamente colocada allí, y entréguesela.

Le pedirán que ejecute el truco otra vez. Niéguese. Dígales que un mago jamás ejecuta el mismo truco más de una vez ante un auditorio.

La celda de tortura acuática de Houdini

Contra lo que dice el mito, Houdini no murió al escapar (o estar a punto de escapar) de esta ilusión. La estrella cinematográfica de Hollywood Tony Curtis le habrá hecho creer otra cosa. Este acto fue uno de los trucos de escapismo más extraordinarios de Houdini.

La ilusión ocurre dentro de una celda o cabina delimitada por cristales, como las cabinas telefónicas. Primero, el mago es sujetado a una tapa por los pies. Luego lo bajan de cabeza al interior de la celda. Para entonces ésta ha sido llenada de agua. A su alrededor hay barras metálicas como las de una cárcel.

La altura de la celda es como de 1.62 m, y los lados no exceden los 75 cm. Estas dimensiones resultarán muy estrechas para cualquier mago. Desde luego, sus manos han sido esposadas antes de hacerlo descender al interior de la celda.

A través de los cristales, el público puede ver claramente al mago sumergido. Luego, una vez asegurada la tapa en su sitio, se extiende una cortina alrededor de la celda. Al poco tiempo el mago descorre la cortina y sale de la celda.

PRECAUCIÓN: No intente realizar este truco cuando esté solo o no haya tomado las medidas de seguridad necesarias (este es un acto de escapismo muy peligroso y muchos se han ahogado por realizarlo sin ayuda).

✦ EL SECRETO: El ejecutante debe ser capaz de mantener la respiración por lo menos durante tres minutos mientras esté sumergido en el agua y también debe poder simultáneamente librarse de las esposas. Éstas están hechas especialmente para soltarse tan pronto como se extiende la cortina alrededor del mago. Bajo el agua, éste presiona el mecanismo que suelta las esposas.

Aunque la cabina es muy estrecha, el ejecutante dispone de dos métodos para escapar. Uno es el método normal, y el segundo es el recurso de emergencia.

La tapa, que a su vez sirve para sujetar los pies, está equipada con un picaporte especial. En la época de Houdini el escape se realizaba con ayuda de un asistente. Éste, al correr la cortina, secretamente abría el picaporte. Así, el mago se liberaba de la tapa. Ya libre, se volteaba cabeza arriba, quitaba la tapa y salía del tanque.

Recuerde, este efecto es una ilusión, y no se le considera realmente un escape. Un escape auténtico tiene lugar cuando las personas del público retan al ejecutante a zafarse de objetos con los que ellos lo encierran o atan. En este caso, no se pide al público que pase al escenario a inspeccionar la tapa. El hecho de que el mago se tenga que dar la vuelta dentro del agua es lo bastante aterrador como para convencer a todos de que el escape es imposible.

Si por alguna razón el ayudante no puede realizar su parte, el mago puede enderezarse en ese pequeño espacio y con las manos liberar sus pies del asidero.

Como válvula de seguridad, muchos artistas del escapismo de nuestros días contarán con un abastecedor de aire, como un tanque de buceo, oculto en el fondo de la celda. Recuerde, nadie debe morir por tratar de realizar un truco.

Cuando se hace descender al mago al interior de la celda, su cuerpo desplaza mucha agua, que moja el escenario. El espacio del agua desplazada permitirá que el mago respire una vez que se haya vuelto cabeza arriba en el tanque.

En la mayoría de los casos, el ejecutante no permanece bajo el agua más que unos cuantos segundos, pues la primera cosa que cubre el ayudante es el frente de la celda. Mientras arreglan la cortina alrededor de la cabina, el mago ya debe estar tratando de escapar. Si lo hace todo en el tiempo correcto, puede estar fuera de la cabina, de pie tras la cortina, aun antes de que el ayudante salga del escenario. Para aumentar la tensión, permanezca tras la cortina dos o tres minutos antes de aparecer. Con frecuencia Houdini salía de la cortina tambaleándose al realizar su gran escape. Quizá esta técnica requiera de una actuación exagerada, pero si a usted le funciona, úsela.

Para fabricar la celda en nuestros días, le recomiendo que la haga de plexiglás u otro material plástico en lugar de cristal. Existe un riesgo menor de que se rompa y el material es más fuerte.

Puesto que el escape depende de la tapa, ésta debe ser del tipo de una garrucha, con un picaporte fácil de abrir. Un mago que conozco, no intentaba ocultarse del todo para realizar su escape. Sus pies estaban sujetos a la tapa estilo garrucha, pero los huecos por los que debían pasar sus pies eran tan grandes, que en realidad era él mismo quien se mantenía colgando. Literalmente, se detenía con los pies para estar colgado cabeza abajo. Cuando se corría la cortina, simplemente se soltaba de los huecos de la tapa, se sacudía para voltearse cabeza arriba y salía. Esta es la versión que más me gusta.

SUGERENCIAS: Para colocar en su sitio la tapa se requiere una polea u otro equipo similar.

Las barras de cárcel son optativas. Algunos magos consideran que la jaula genera un efecto más terrorífico. Usted decide.

Para hacer este truco más animado, yo fabricaría mi celda como si fuera una cabina telefónica. La gente se vincula más con las cosas que reconoce. Recuerde, la palabra clave en verdad en este truco es: precaución.

Este acto en verdad atrae la atención. Es realmente desfavorable que el escape deba ser cubierto por una cortina.

Hardeen

hermano de Houdini

Theo Hardeen era Theodore Weiss, el hermano dos años menor de Harry Houdini. Vivir a la sombra de un hermano tan famoso como Harry Houdini habría sido una tarea imposible para la mayoría, pero Theo no dejó que eso le estorbara. Conquistó para sí una carrera muy exitosa. Sus inicios como animador estuvieron motivados por su asociación cercana con su hermano. Conforme Houdini acrecentaba su fama en todo el mundo, los gerentes teatrales se peleaban por contratar el acto del Rey del Escape. Por lo tanto fue natural que, cuando Houdini descubrió que no podía cumplir con todos los compromisos, sugiriera a Theo que actuaran con diferentes nombres y cada cual en oposición al otro.

Durante los diez primeros años del siglo XX, saber quién tenía más poder de arrastre, Houdini o Hardeen, era como arrojar una moneda al aire. Ambos hermanos escapaban de artefactos tan diversos como cárceles, cajas, esposas, camisas de fuerza, cadenas y demás. Nadie había alcanzado tan enorme éxito en su campo como ellos. El nombre de Houdini fue más conocido en los Estados Unidos sólo porque Theo Hardeen eligió dedicar la mayor parte de su tiempo en viajes y presentaciones en el extranjero.

Tras la muerte de Houdini, Hardeen siguió presentándose. Aunque no requería de dinero (pues ya era lo suficientemente rico), el negocio del espectáculo lo tentaba irresistiblemente. Sin embargo, por el año de 1940, su salud comenzó a minarse, lo cual lo convenció de olvidarse de los viajes para actuar sólo en Nueva York. Durante varias semanas se presentó en Leon and Eddie's, uno de los mejores clubes nocturnos de aquel tiempo.

Fue más o menos por esa época cuando Hardeen fue invitado a interpretar la parte del mago en la sensacional comedia musical de Olsen y Johnson, el espectáculo de Broadway "Hellzapoppin". Ejecutaba sus más grandes ilusiones, mientras Olsen y Johnson entraban y salían torpemente durante la realización de trucos tales como el corte de una mujer por la mitad, la casa de muñecas y el baúl de sustitución. Hardeen se retiró en el otoño de 1944 y murió el 12 de junio de 1945.

Suspensión sobre una silla

Esta es la versión moderna de un truco impresionante que se vio por primera vez en los circos de segunda categoría. Era poco común que los magos lo realizaran, pues en esa clase de espectáculos rara vez recurrían a los magos. Los espectáculos ambulantes trabajaban a muy bajo precio. Hoy, esta ilusión puede ser ejecutada aun por el más joven de los magos. Se puede realizar bajo todo tipo de condiciones, incluso en escenarios circulares. A menudo el mago utilizará una persona del auditorio. Esta ilusión, completa en sí misma, no necesita de ningún equipo adicional en especial.

En el escenario, junto con el mago, hay dos sillas plegables. Éstas pueden permanecer en el escenario durante todo el espectáculo. Quizá puedan ser colocadas allí cuando el mago haya tenido en el escenario a gente del público. O bien, al momento en que la ilusión esté a punto de realizarse.

Las sillas se colocan en el centro del escenario, una frente a la otra, a una distancia como de 1.20 m. Luego, apoyado sobre los respaldos de éstas, se coloca un tablero pesado. Se le pide a una persona que se recueste sobre dicho tablero. Puede tratarse del asistente o de una persona del público. Luego se retira una de las sillas. La persona y el tablero parecen estar suspendidos en el aire. Puede pasar un aro a través de la persona y bajarlo por la silla. La silla vuelve a colocarse en su sitio, se le pide a la persona que se levante y se retira el tablero.

✦ EL SECRETO: Al igual que en otros casos de suspensión, este truco utiliza un mecanismo secreto. En este caso, una de las sillas está reforzada con un brazo metálico. Este puntal pasa por el respaldo de la silla, y llega al suelo por las patas contiguas.

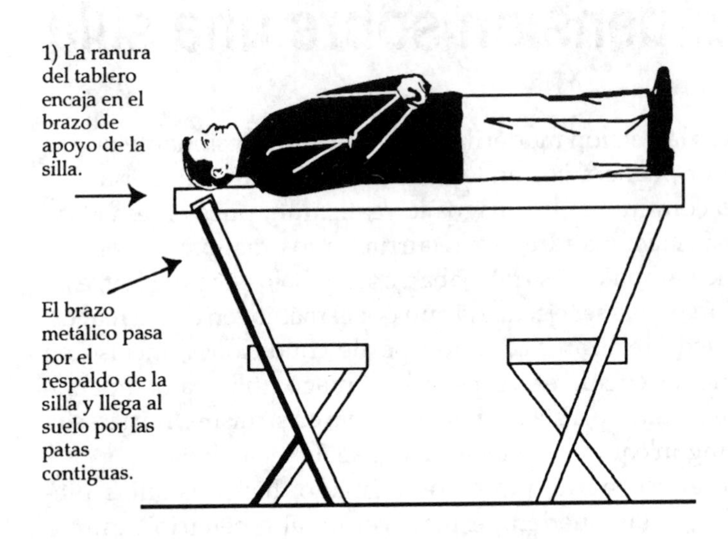

2) Se quita una de las sillas y el asistente flota.

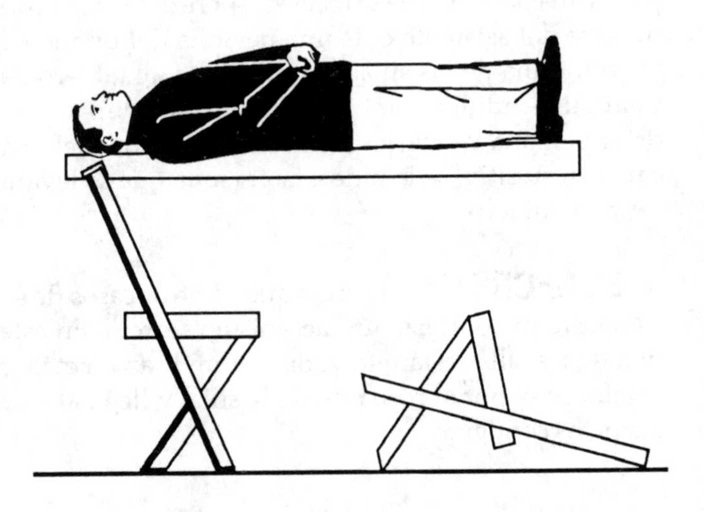

El tablero tiene una ranura en uno de sus extremos. En ésta puede encajarse el brazo de apoyo de la silla al colocarlo en ese punto. El soporte puede cargar hasta 55 kg.

Para introducir el tablero en la pieza metálica se hace un movimiento deslizante, el cual puede disimularse mientras el mago coloca el tablero sobre la silla.

Como medida de seguridad y profesionalismo, el brazo metálico de la silla debe ser instalado por un soldador. Conviene también que el soldador refuerce la ranura con una placa metálica. Por lo regular, los tableros mismos deben ser bastante fuertes, pues el peso de una persona podría romperlos si éstos son muy delgados.

Sugiero usar sillas de madera en lugar de las de aluminio. Píntelas de un color no llamativo, como el café, y asegúrese de que el metal esté pintado del mismo color. El tablero puede ser de un color más brillante. Yo usaba un tablero que tenía el color y el logotipo de un patrocinador. Si usted no tiene patrocinador, puede solicitar un permiso de alguna compañía muy conocida. Así, el tablero parecerá una cartelera publicitaria y no un artificio mágico preparado para la ocasión.

Recuerde siempre que casi en toda ocasión es mejor usar los artificios que parecen artículos cotidianos, y no los que brillan con colores llamativos. El engaño que se logre con estos elementos de utilería dependerá de que su presentación sea convincente.

Mujer cortada por la mitad

Existen muchas variantes de este efecto, desde el "modelo delgado" hasta el "modelo de caja". Explicaré el "modelo delgado", que es más moderno.

El realizador presenta una caja sobre una mesa, la cual tiene las dimensiones suficientes para que quepa dentro la

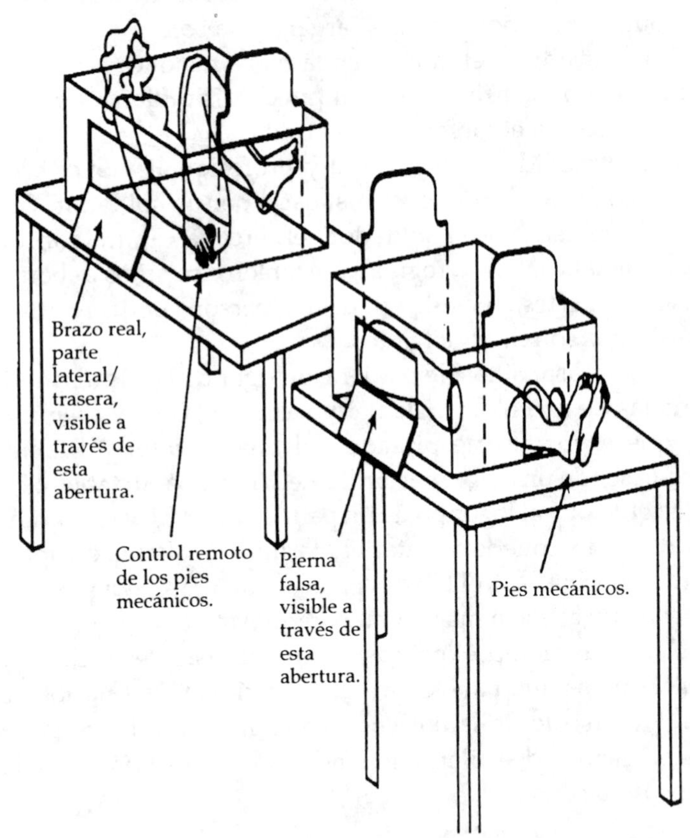

ayudante, quien yace extendida en ella. Su cabeza sobresale por un extremo y los pies por el otro. Dos pequeñas puertas de la caja, que están a la vista del público, son abiertas para que puedan verse el brazo y la pierna de la ayudante. Se cierran las puertas y la caja es cortada por el centro. Luego, dos placas de metal se insertan en la caja, una en cada lado donde se ha hecho el corte. Ahora se separan las "dos" cajas.

Una vez separadas, las dos puertas se abren de nuevo. A través de ellas, el público puede ver claramente el brazo de la ayudante y, en la otra mitad, su pierna. Los pies siguen moviéndose. Es la ilusión perfecta.

Posteriormente, las mitades se unen de nuevo y la asistente se levanta y sale de la caja, sin herida alguna producto de esta experiencia.

✦ EL SECRETO: La caja es delgada, a diferencia de la versión antigua. La caja del modelo delgado es de 30 cm de altura, mientras que la de los viejos modelos era de más de 60 cm. Sin embargo, la caja tiene 62.5 cm de anchura. Ésta ofrece el espacio suficiente para que la ayudante encoja sus piernas dentro de la parte de la caja que contiene, según el público, sólo la cabeza y el tronco. Las piernas que se ven en la porción inferior de la caja suelen ser pies mecánicos. El costado de la pierna que asoma por la puerta abierta es un cuerpo falso, es decir, la pierna de un maniquí pegado a una pequeña abertura, metida justo junto a la puerta de la caja. Cuando la puerta está abierta, el público no ve el interior de la caja sino más bien el cuerpo falso.

Los pies, si son mecánicos, pueden manejarse por medio de un control remoto. La ayudante operará esta "palanca de mando", lo que provocará que los pies se muevan. Una ilusión más económica usará simplemente piernas de maniquí, las cuales no se moverán.

Cada mitad de la caja está unida a una mesa plana, la cual posee ruedas para facilitar su movimiento. Las mitades de la caja están unidas con madera de balsa u otro tipo de madera suave. Esta madera es la que se corta, una y otra vez, cuando se realiza esta ilusión. Las cuchillas que se introducen a cada lado del corte tienen por objeto impedir que el público vea el interior de la caja, secreto similar al del zigzag, que se explicará más adelante.

En la versión de Doug Henning del corte de una mujer por la mitad, él ponía una de las cuchillas en su sitio, pero ésta no bajaba en su totalidad. Luego, Doug tiraba de la cabeza de la ayudante y la cuchilla caía en su sitio. Después de todo, así es el negocio del espectáculo: exige una buena dosis de actuación.

Otra versión es aquella en la que dos ayudantes son cortadas por la mitad al mismo tiempo. Luego, las partes inferiores de las dos parecen intercambiarse al momento de armarlas de nuevo. Si una ayudante estaba vestida de azul y la segunda de blanco, las ayudantes rearmadas terminarán vestidas con prendas de ambos colores. Este efecto también es una buena contribución al truco original y, puesto que el momento de rearmar a la asistente resulta un poco anticlimático, esta mezcla le pone un poco más de chispa a la presentación del truco.

Esta ilusión y el zigzag, así como el "mal armado" (que se explicará después) tienen mucha relación entre sí. De hecho, podríamos decir que son primos en el ámbito de la magia. El mal armado y el zigzag no son sino versiones verticales del corte de una mujer en dos partes. O en tres. O en cuatro.

Yo no aconsejaría que en el espectáculo realizara usted estos tres trucos. Si ejecuta más de uno de ellos en su actuación, asegúrese de no hacerlos uno después del otro. El público se aburrirá si lo ve a usted cortar constantemente personas por la mitad.

Tampoco es recomendable abrir el espectáculo con este truco, puesto que su realización es demasiado lenta como para llamar la atención de su auditorio. En cambio, es un buen truco para cerrar.

Uno de los méritos de este acto es que está considerado como uno a prueba de ángulos. No obstante, no lo ejecute en escenarios redondos. En lugar de ello, este truco debe centrarse en el corte y el ensamblado; luego, siga usted adelante con el espectáculo. No es necesario darle vueltas a las mitades y alejarlas demasiado entre sí. Muchos magos, tanto aficionados como profesionales, cometen constantemente el error de prolongar demasiado sus actos. Una vez terminado el truco, terminado está. Siga adelante con el espectáculo.

Walter Gibson

el escritor

Walter Gibson significó diferentes cosas para diferentes personas. Para una cifra incalculable de miles de magos y entusiastas de la magia en todo el mundo, fue una autoridad de la historia de la magia, el más prolífico autor de libros del tema y relatos de fantasmas para todos los grandes de la magia del siglo XX, incluidos Houdini, Thurston, Dunninger y Blackstone.

Para otros miles de personas que crecieron entre los treintas y cuarentas, Walter Gibson fue mejor conocido por ser el creador del más famoso de todos los héroes de revistas: The Shadow (La Sombra). Este logro le dio la distinción de tener dos carreras totalmente distintas y exitosas casi simultáneamente.

El éxito que alcanzó el prolífico escritor Gibson con la serie de The Shadow fue, sin duda, tremendo. De los libros de esta serie, surgió un programa radiofónico sobre el mismo tema: The Shadow. Se convirtió en el programa de misterio más popular de su tiempo. Gibson debía escribir más de seis horas diarias, cinco días a la semana, para darse abasto, tanto con la serie de radio como con la tira cómica. Sin embargo, parecía resultarle sencillo. Además de los dos The Shadow y sus escritos de magia, Gibson también escribió libros sobre una amplia gama de temas, todos relacionados con procedimientos y preparaciones para entender la percepción extrasensorial y el ocultismo.

Con tal agenda de actividades, resulta difícil creer que le sobrara tiempo para ejecutar actos de magia. Pero así era. Si bien jamás alcanzó la fama de ser tan grande como sus mentores, su amabilidad, compasión y sentido del humor le confirieron al arte un encanto y dignidad que nunca ha igualado nadie desde que él murió.

Walter Gibson escribió o editó docenas de libros de magia. Escribió obras tales como *Illustrated Book of Card Magic* (Libro ilustrado de la magia con naipes) y *Houdini's Fabulous Magic* (La fabulosa magia de Houdini), *Houdini's Escapes* (Escapes de Houdini) y *Houdini's Magic* (Magia de Houdini).

Walter Gibson fue, sin duda, la máxima autoridad mundial en magia, Houdini y el mundo de lo oculto.

En 1977, Walter Gibson escribió un libro llamado *Mastering Magic: Secrets of the Great Magicians Revealed* (Para adquirir maestría en la magia: secretos de los grandes magos al descubierto). En este libro, él daba algunos consejos astutos para conocer secretos de la magia.

"Existen algunas personas versadas en el tema de la magia, que sostienen la errónea teoría de que cualquier revelación de sus secretos podría causar daño a este arte. Esto puede refutarse firmemente con el hecho de que la ventriloquía fue alguna vez un arte tan secreto como la magia; de hecho, depende más que la magia de su capacidad para crear una ilusión. Hoy, todos saben en principio cómo se maneja un muñeco de ventrílocuo, a pesar de lo cual la ventriloquía se ha encumbrado a niveles de popularidad que exceden aun las más locas fantasías de la generación anterior. Esto se debe a que, en definitiva, los elementos de comprensión y apreciación son inherentes a las personas que atestiguan una representación artística genuina."*

* Extraído de *Mastering Magic: Secrets of the Great Magicians Revealed.* Publicado por Frederick Fell Publishers, Inc., Nueva York, Copyright 1977. Citado con permiso del editor.

Gibson explicaba que no era recomendable revelar los secretos inmediatamente después de realizar los actos, pero que compartir los secretos sólo provocaría un incremento en el número de personas que gozarían del entretenimiento en sí mismo.

Cómo eslabonar anillos

El eslabonamiento de anillos, también conocido como el eslabonamiento chino de anillos, es una de las ilusiones más antiguas que permanecen vigentes hoy en día. Existen muchas rutinas para hacer este truco, pero me enfocaré en las bases de la ilusión y no en alguna rutina en particular.

El mago sostiene ocho anillos de plata en el centro del escenario. El diámetro de cada uno es de 25 cm. Se muestran al público para que constate su solidez y su carencia de trucos o aberturas.

Luego el mago hace que los anillos se eslabonen y deseslabonen ante la vista del auditorio. A menudo se le pide a un miembro del público que suba al escenario para ayudar al mago. Los anillos se unirán y separarán justo en las manos del espectador. Éste tiene el control completo de los anillos en todo momento. Cuando están eslabonados, el espectador sólo puede separarlos a la orden del mago, y sólo de modo similar puede volver a eslabonarlos.

El público siempre se sorprende y se deleita cuando los anillos parecen enlazarse y luego vuelven a separarse. Para terminar la ilusión, los ocho anillos parecen estar eslabonados.

✦ EL SECRETO: Esta ilusión es el arte del equívoco en su máxima expresión. Para empezar, usted tiene ocho anillos. Los ocho están sostenidos en el orden siguiente: dos anillos sencillos que no tienen truco y que están separados de los demás anillos, luego dos anillos permanentemente eslabonados entre sí, y tres anillos más que también están unidos siempre. El octavo es el anillo clave. No es un anillo cerrado, ni forma un círculo o aro completo. En lugar de ello, tiene un pequeño corte. Esta abertura permite que otros anillos se eslabonen o se suelten del anillo clave.

Cuando muestre los anillos al público, deje que caigan de una mano a la otra. Conforme caen, cuéntelos. Debe mantener las manos lo suficientemente cerca como para que no se vea que hay anillos ya eslabonados. Esto podrá disimularse fácilmente si usted conserva sus manos cerca una de la otra.

Cuando haya contado todos los anillos, distribúyalos en un brazo. Los anillos estarán en el orden siguiente (de la mano al codo): un anillo sencillo, el anillo clave, un anillo sencillo, los dos anillos unidos, los tres anillos unidos.

Para ejecutar esta ilusión, tome los primeros dos anillos y muéstrelos por separado. Luego júntelos. Los anillos anteriores serán el anillo clave y uno de los sencillos. Aparte el siguiente anillo, es decir, otro sencillo, y eslabónelo al anillo clave. Así, usted sostendrá el anillo clave eslabonado a dos anillos sencillos. Los otros anillos aún cuelgan de su brazo.

Separe los dos anillos sencillos del anillo clave, entrégueselos a un espectador y pídale que los eslabone. Mientras usted procede con todo ello, coloque el anillo clave sobre su brazo, luego tómelo conjuntamente con los dos anillos unidos, manteniéndolos juntos.

Como el espectador no podrá unir los anillos, usted los tomará de nuevo. Ahora tiene usted en la mano dos anillos sencillos, el anillo clave y los dos anillos unidos. Explique al público que el espectador no dijo la palabra mágica. Déle ahora los dos anillos unidos y pídale que los sostenga por encima de su cabeza. Mientras tanto, tome el anillo clave y uno de los sencillos y muéstrele al espectador cómo sostenerlos, poniéndolos sobre la cabeza de usted mismo.

Diga la palabra mágica y de pronto el grupo de anillos que usted sostiene y el que sostiene el espectador estarán eslabonados. Por supuesto, usted puede deseslabonar su grupo, en tanto que el espectador no puede hacerlo, porque usted tiene el anillo clave.

Prosiga realizando este tipo de rutina, uniendo y desuniendo los anillos y confundiendo constantemente al auditorio con tales acciones. Para concluir el acto, el mago pedirá los anillos al espectador y los unirá todos al anillo clave.

En las tiendas locales de magia puede conseguir anillos de cualquier tamaño. O bien, vaya a la tienda local de artes manuales y compre aros para bordar. Los hay en muchos tamaños y colores. Puede usar desde tres anillos hasta doce o más. En muchas tiendas artesanales podrán soldar los anillos en los grupos necesarios.

Los mejores colores para los anillos son el plateado o el dorado pues brillarán y centellarán bajo la iluminación del escenario.

En las tiendas de magia también se vende un anillo clave mecánico, el cual puede ser examinado por el auditorio. Opera del mismo modo que el anillo clave normal, pero la abertura puede cerrarse y asegurarse. Esto añadirá magia y misterio a los anillos, puesto que el público podrá manipularlos todos.

Aun cuando se trata de un truco viejo, siempre engaña al auditorio cuando se ejecuta con solvencia y profesionalismo.

Gabinete de espadas

El gabinete de espadas, llamado también caja de espadas, fue uno de los primeros trucos donde se usaron espejos.

Se lleva al centro del escenario una caja alta con ruedas. El frente se abre para que todos la vean. En su interior un ayudante se coloca de pie, ocupando casi todo el espacio de la caja. Las puertas son cerradas y el mago comienza a clavar espadas en unos hoyos que tiene la caja. Cuando parece ya no haber espacio para más espadas, la caja es abierta. El público puede ver todas las espadas, las cuales llenan la caja por todos sus ángulos, pero no al ayudante, quien se ha desvanecido. Se cierran las puertas, se retiran las espadas.

Luego las puertas se abren y el ayudante reaparece, completamente ileso.

✦ EL SECRETO: La caja debe ser construida con las dimensiones suficientes para que quepa un asistente de estatura promedio. Su interior puede estar pintado de negro liso o bien tener un fondo con un diseño repetitivo. Sobre los dos lados de la caja, engoznados a los lados, hay espejos. Los espejos son la clave de este truco. Están engoznados en el interior, cerca del fondo y se extienden desde la parte más alta hasta la más baja de la caja. Cuando el asistente entra en la caja, los espejos yacen recargados contra los lados de ésta. Cuando la puerta de la caja se cierra, el ayudante hace girar los espejos apartándolos de las paredes de la caja y los junta por el centro. Puesto que los espejos son reflexivos (reflejan los lados de la caja), el auditorio cree que la caja está vacía. Una de las espadas, cuando se inserta desde la parte más alta de la caja, ocultará de la vista del público la línea donde los espejos se encuentran. Cuando la puerta de la caja se abre, el asistente estará oculto detrás de los espejos y dará la impresión de que se ha desvanecido. Luego se cierran las puertas y se retiran las espadas. El ayudante vuelve a hacer girar las puertas con espejo para recargarlas contra las paredes del gabinete, y sale mágicamente cuando el mago abre las puertas exteriores.

Las espadas que se usan en esta ilusión pueden ser de todos los tamaños y formas. Se clavan en la caja de tal manera que las más cortas quedan más cerca de los espejos y las más largas se insertan más lejos. Como existen espadas de muy variadas formas y dimensiones, y como el mago trabaja con rapidez, el público no advierte que las espadas se insertan con un tipo de patrón. La razón para seguir un patrón determinado es sencilla. Estas espadas que entran en la parte posterior del gabinete son igualmente cortas, y sus tamaños van desde los 15 cm hasta los 90 cm, de modo que no pueden herir al ayudante, quien está oculto en la parte de la caja que queda detrás de las puertas con espejos.

Es mejor que la caja posea ruedas. De ese modo, conforme introduce las espadas en ella, usted puede hacerla girar y girar mientras clava las espadas aparentemente sin orden.

El material de las espadas puede ser la madera o el acrílico. Para hacer esta ilusión aún más sorprendente, es conveniente que las espadas brillen. Cuando cada espada brillante se blande en el aire, la cuchilla refleja la luz e incrementa la atención del público.

Los orificios para las espadas deben ser justo del tamaño de las espadas mismas. No es problemático que entre un poco de luz en la caja. Pero si entra demasiada el truco podría quedar al descubierto, pues la luz que entrara a la caja podría reflejarse en los espejos al abrirse las puertas. Si el auditorio percibe este reflejo, entenderá el truco.

En ilusiones como ésta, es mejor que los entrepaños de la caja tengan goznes, en lugar de que estén unidos con clavos o tornillos. Así, las clavijas de los goznes pueden quitarse al momento de desarmar el equipo para transportarlo al siguiente destino. No olvide que su material debe transportarse de un lugar a otro; por ello, todos sus trucos deben estar hechos de modo tal que puedan desmontarse fácilmente. Para que la cabina de tablas disimule que tiene un dispositivo falso, pegue algunas calcomanías de países extranjeros en la parte exterior. Sin embargo, evite que su equipo llame mucho la atención. Las puertas deben tener una especie de cerrojo. Éste las mantendrá cerradas mientras usted mueve la caja y cuando introduce las espadas.

SUGERENCIA FINAL: No es necesario utilizar espadas. Puede emplear escobas, palos de golf, bates de beisbol o cualquier otro objeto que aparentemente ocupe todo el espacio de la caja. Use su imaginación y creatividad.

Mark Wilson

el mago nuevo

Hasta el más rápido de los vistazos al mundo de Mark Wilson nos revela a un hombre que definió las fronteras de este antiguo arte. En los sesentas, como pionero de la magia en su programa de televisión en cadena (que se transmitió durante cinco años), "The Magic Land of Alakazam" (La tierra mágica de Alakazam), Mark obtuvo la distinción de ser visto por más gente que cualquier otro ilusionista en los 3 500 años de historia de los conjuros. Las instalaciones de Mark, al norte de Hollywood, albergan en la actualidad la colección de equipos e ilusiones de magia más grande del mundo. Asimismo, el Curso de Magia de Mark Wilson se vende mucho y se anuncia tanto en la prensa como en la televisión.

En julio de 1977, la Sociedad de Magos de los Estados Unidos nombró a Mark Superestrella de la Magia, en la convención de ilusionistas más grande jamás reunida. Mark es también el único miembro de su profesión que en dos ocasiones ha sido nombrado Mago del Año por la Academia de Artes Mágicas, que en la magia es el equivalente a ganar un Óscar.

La carrera de Mark comenzó cuando tenía ocho años. Con una baraja y un libro de magia de Thurston, Mark ya practicaba juegos de manos. A los trece empezó a trabajar en una tienda de magia en Dallas, Texas, ciudad donde vivía. Pronto se convirtió en el encargado de realizar demostraciones y en el vendedor principal. Poco después de ese logro, empezó a presentar espectáculos locales.

Mark siguió asistiendo a la escuela y se graduó en la universidad como especialista en comercio. Sin embargo, su sueño de llegar a ser mago nunca vaciló, de modo que siguió actuando durante sus años en la universidad. Luego emplearía su sentido y su preparación comercial para salir a los caminos en pos del éxito. Tan pronto como terminó la escuela logró conseguir patrocinadores para preparar programas de magia por televisión.

Su primer espectáculo se llamó "Time for Magic" (Tiempo para la magia). Luego vino "The Magic Land of Alakazam". También ha hecho muchos programas especiales de televisión. Además, enseña el arte de la magia a muchos actores y actrices de Hollywood. Para el espectáculo de televisión "The Magician" (El mago), con Bill Bixby, que transmitía NBC, Mark le enseñó a hacer magia a Bill y fue asesor de este serial de gran éxito.

Por lo regular, Mark se presenta junto con su esposa Nani y su hijo Greg, quien en ocasiones comparte el escenario con Mark para realizar algo de su maestría en el arte de la prestidigitación con naipes, sogas, monedas y bolas de billar. Mark ilustra también una forma de magia que debe parecerse a las fantasías de cada una de las personas del público: aparece dólares en billete (toda una hazaña en estas épocas de inflación).

En las recientes series de espectáculos de magia de Mark, que abarcan desde trucos con naipes hasta ilusiones con aparatos, él y Greg coordinan sus apariciones y también sus desapariciones. Actúan con Nani ataviados con trajes a la moda. Nani es la asistente de Mark en ilusiones clásicas como la levitación, la pila de cajas y el aparato parecido a una locomotora, en el cual Nani es encerrada y luego cortada por la mitad, en lo que es una versión única del acto de cortar una mujer por la mitad. Un momento de gran intensidad es aquel en el que Mark hace a un lado el tren y coloca la cabeza de

Nani de modo que ella puede ver los dedos de sus pies moviéndose rápidamente del otro lado del escenario, en la otra mitad del aparato separado.

Ahora Greg Wilson actúa por su cuenta. Greg dice que el suyo es un espectáculo de "ilusión de horror", algo así como el encuentro de Alice Cooper con Doug Henning.

Suspensión sobre espadas

A diferencia de otras suspensiones, la de la espada trae aparejado un elemento de peligro y audacia. El ejecutante muestra al público tres largos sables. Cada uno tiene filo y mide 90 cm de largo, de extremo a extremo. Las empuñaduras de las espadas están insertadas en aberturas, apuntando hacia arriba, en el escenario. Están unas junto a otras, a una distancia no mayor de 30 cm.

Un ayudante sube al escenario; aparentemente es hipnotizado, luego lo levantan del suelo y se le coloca boca arriba sobre las puntas de las espadas. Posteriormente se hacen a un lado dos espadas, con lo que el asistente queda suspendido en una sola espada, la cual apunta directo a su nuca.

Desde luego, usted puede hacer pasar un aro por el cuerpo del asistente y que baje rodeando la espada para demostrar que no hay truco.

Luego las otras dos espadas son colocadas de nuevo en su lugar. El asistente sale del escenario y las guarda fuera de escena. En algunos casos, el mago usa las espadas en el número siguiente de su presentación.

✦ EL SECRETO: Las espadas son indudablemente reales. De hecho, son de acero templado. Se insertan en las ranuras de un tablero que descansa en el escenario. En algunos casos, se usa una plataforma pequeña en lugar del tablero. Cada espada encaja firmemente en un punto destinado a la empuñadura, de modo que la espada apunta en línea recta hacia arriba. La espada que se colocará en la nuca del asistente es ligeramente más larga y tiene la punta un poco más encorvada que las otras dos. El público, sin importar el ángulo desde el cual lo vea, no puede advertir con facilidad estas diferencias.

El asistente lleva un chaleco protector, oculto bajo la ropa. Éste cubre desde el cuello hasta arriba de los muslos. En la zona del chaleco que corresponde al cuello hay una ranura. Cuando la espada del cuello es colocada en su ranura, forman entre las dos una conexión muy firme, la cual permite que el truco funcione. Entre tanto, las otras dos espadas no tocan al asistente. Sólo tocan el chaleco protector en algunos puntos. Además, al igual que en otros trucos de suspensión, se puede mostrar con un aro que el asistente no está sostenido por cables.

Para colocar al asistente sobre las espadas hacen falta al menos dos personas. Es necesario bajarlo en determinado ángulo a fin de que la nuca entre en la ranura. Una vez que la ranura está sujeta a la espada, se va bajando al asistente hasta alcanzar un ángulo recto sobre las espadas.

La espada principal suele ser más pesada y más larga que las otras, pero para fines prácticos ninguna de las tres despierta suspicacias. Esta es la razón por la cual el mago a menudo usará las mismas espadas en otro acto, como por ejemplo, el gabinete de espadas.

Todo el equipo necesario puede fabricarse a precios bajos en el taller del soldador. La firmeza es la característica más importante que deben poseer la espada principal (la de la nuca), la conexión del equipo que lleva puesto el asistente y la plataforma en la que se engancha la espada principal.

Con frecuencia el asistente viste un traje holgado para ocultar mejor la conexión de la abrazadera. Pero, si se tiene cuidado, se pueden usar incluso las ropas comunes de la calle. Hay que reiterar que, a fin de no estropear la ilusión, usted debe tratar de que nada despierte sospechas, por ejemplo, que el asistente no camine con rigidez a causa de la abrazadera.

Esta ilusión también resulta estupenda si se ejecuta en escenarios circulares, por televisión, a bordo de un barco y prácticamente en todos los lugares donde puede actuar un mago.

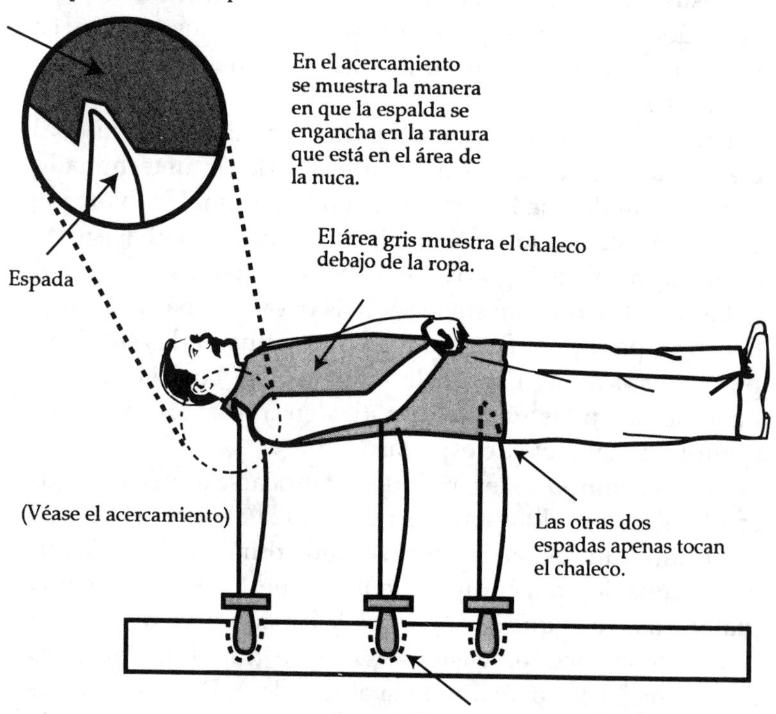
Chaleco protector del cuerpo.
En el acercamiento se muestra la manera en que la espalda se engancha en la ranura que está en el área de la nuca.
El área gris muestra el chaleco debajo de la ropa.
Espada
(Véase el acercamiento)
Las otras dos espadas apenas tocan el chaleco.
Las espadas se insertan en las ranuras de la plataforma.

La aguja a través del globo

Este truco se usa sobre todo en magia de comedia.

El mago tiene un globo grande inflado por una persona del público. Luego introduce en el globo una aguja grande y filosa, a pesar de lo cual éste no explota. Luego, la aguja, por cuyo ojo pasa una cinta, es empujada a través del globo para que salga por el otro lado. También se ve cómo pasa la cinta a través del globo. Acto seguido, el globo es arrojado al aire y la misma aguja lo revienta.

✦ EL SECRETO: A veces es magia, a veces es ciencia, pero esta ilusión siempre se debe representar con pulcritud. La aguja es del tipo industrial, de casi 38 cm. A partir de la punta, la cual es muy aguda, el diámetro de la aguja se incrementa gradualmente hasta el otro extremo.

Utilice globos cuyo diámetro varíe entre los 25 y los 30 cm. Los gruesos son los mejores. Asegúrese de no emplear demasiada cinta, o usar una que pueda enredarse al momento de penetrar por el globo. Quizá deba probar con varios tipos antes de encontrar una que le sirva.

Mientras un espectador infla el globo, tome la aguja y límpiela con indiferencia utilizando su ropa. Esta ropa ha sido cuidadosamente remojada con un lubricante casero, por ejemplo aceite para máquina de coser o WD-40. Impregne bien la aguja con este aceite. Evite llamar la atención al hacer este movimiento. El público sacará sus propias conclusiones sobre lo que usted está haciendo. Casi todos pensarán que sólo está limpiando la aguja, lo cual también es cierto.

Los globos seleccionados tienen el cuello y el punto central muy gruesos. Estos globos se venden por lo regular en tiendas de magia. Clave la aguja lentamente en la parte más gruesa del punto central. Luego, siga empujándola en dirección a la parte gruesa del cuello, exactamente junto al nudo que se le ha hecho al globo.

El filo de la aguja mojada en el aceite no reventará el globo y por lo común sellará lo suficiente como para que no escape mucho aire. La cinta, o bien el hilo, simplemente seguirá a la aguja a través del globo sin dañarlo. Luego, cuando usted pinche la parte media del globo con la punta de la aguja: ¡bang! Adiós globo.

Como este truco depende de la pericia, quizá no siempre salga bien, por lo cual es conveniente llevar al escenario uno o dos globos más para realizar el acto. Si el globo explota, puede intentarlo de nuevo.

Mire los rostros del público en el momento en que empieza a penetrar la aguja en el globo. La gente en verdad se inquieta mucho creyendo que éste estallará.

Doug Henning
magia de los setentas

Lo llamaban El Brujo del Norte. Fue el primer mago, y el único, en obtener una subvención del gobierno canadiense para estudiar el arte de la magia. Con la ayuda a su disposición, Doug partió a estudiar con los mejores magos de la época.

Muy pronto alcanzó la fama con una gran producción escénica en Canadá. Su larga temporada en Broadway, presentando su "Magic Show" (Espectáculo Mágico), lo lanzó al superestrellato.

La primera vez que Doug se interesó en la magia fue en su juventud, cuando vivía en Winnipeg, Manitoba. En el programa de Ed Sullivan, vio por televisión que un mago hacía levitar a una joven; a partir de ese día su anhelo fue convertirse en mago. De hecho, debido a su fascinación por la levitación, durante sus años de profesional, en sus espectáculos siempre levitó a alguien. Más tarde, al estudiar meditación trascendental, se interesaría enormemente en otra forma de levitación: el vuelo yóguico.

El niño sediento de conocimientos leyó todo cuanto pudo hallar sobre magia y temas afines. En sus años de universitario realizó su tesis sobre un tema vinculado con la magia: el hipnotismo.

Su estilo era sencillo: cuando salía a escena, el público bien podía creer que Doug era un tramoyista despistado. Vestía pantalones de mezclilla y camiseta; su cabello le llegaba hasta los hombros. Este joven y desaliñado ilusionista sorprendía al auditorio con su encanto e inteligencia al saludarlo con un estruendoso: "¡Qué tal, gente!"

El primer espectáculo de Doug al estilo Broadway se llamó "Spellbound" (Hechizado). Henning lo había creado en colaboración con Ivan Reitman (que después se haría famoso con "Ghostbuster" [Cazafantasmas]) y el compositor musical Howard Shore. El espectáculo se estrenó el 26 de diciembre de 1973 y su temporada se prolongó casi un año. Se basaba en una serie de ilusiones mágicas ligadas entre sí mediante una línea narrativa muy vaga. Durante las dos horas de espectáculo, Henning hacía que unas luces de neón atravesaran a su asistente, dejaba caer cuchillos sobre sí mismo, equilibraba sobre la punta de una espada a otro asistente y convertía a otro más en tigre. Además de estas ilusiones de gran estilo, Henning ejecutaba también uno o dos trucos con la baraja, eslabonaba anillos y leía la mente. El vestuario era común, el espectáculo no estaba muy pulido y el libreto y los actores daban una apariencia como de aficionados. Aun así, el estilo mágico de Doug Henning le daba al espectáculo un ritmo rápido y divertido.

El lugar de las presentaciones también ayudaba. El teatro donde se presentaba "Spellbound" era el prestigioso Royal Alexandra, propiedad de un rico empresario canadiense llamado Ed Mervish. El brillante y refinado teatro era el lugar perfecto para su espectáculo estilo Broadway, que tuvo gran éxito. Cuando se trasladó a la ciudad de Nueva York, se le cambió el nombre por el de "The Magic Show". El espectáculo reorganizado llegó a tener más de 1900 representaciones en el Cort Theater y se convirtió en el quinto espectáculo musical de Broadway más duradero de los setentas.

A Doug se le conoce sobre todo por su versión de la chica en zigzag. En esta ilusión, una mujer es colocada en una caja transparente del tamaño de una cabina telefónica y luego es cortada en tres partes. Para que esta ilusión sea aún mejor, la parte de en medio es retirada del cuerpo de la mujer.

Doug Henning dejó la magia a principios de los ochentas para dedicarse a su devoción por Maharishi Mahesh Yogi y para construir gigantescos parques que se llamarían Maharishi Veda Land.

Zigzag

Doug Henning popularizó esta ilusión a principios de los setentas, cuando comenzó a hacer giras con su asistente.

Este truco tuvo tanto impacto en el público, que los magos tenían que incluirlo en su espectáculo para que el auditorio no se decepcionara. Para hacer esta ilusión se lleva al centro del escenario una caja con ruedas, más o menos de la altura de la ayudante del mago. La caja está dividida en tres secciones iguales. Hay una imagen de una joven pintada en la parte exterior de la caja, con huecos al nivel del rostro, las manos y el pie derecho. Al frente de cada sección se encuentran unas pequeñas puertas.

Cuando las tres puertas están abiertas, se ve con claridad que toda la caja está vacía. La asistente entra por las puertas abiertas. Acto seguido éstas se cierran, pero el público puede ver sin dificultad la totalidad de su rostro a través del pequeño hueco de la puerta. Asimismo, ella saca las manos por los huecos correspondientes e igualmente la punta de su pie. Luego se insertan anchas cuchillas de acero por adelante y se empujan hacia atrás. Una de las cuchillas se mete entre la primera y la segunda sección y la otra entre la segunda y la tercera.

Así, la ayudante queda partida en tres partes iguales. Para que esta ilusión resulte más sorprendente, el mago desliza la sección intermedia completamente hacia la derecha de la asistente. Todo ese tiempo, el rostro, las manos y el pie de la asistente permanecen a la vista del público.

✦ EL SECRETO: Este truco se basa más en una ilusión óptica que en otra cosa. Sí, las manos, el pie y el rostro de la asistente son los reales. Es la caja la que está construida de manera extraña. Cuando la sección intermedia, o caja, se desplaza a la derecha de la ayudante, una sección especial de la misma se mueve con ella. Esta sección especial es una extensión de la caja. La caja aparentemente se mueve por completo a la derecha, pero en realidad sólo se mueve como 12.5 cm. Los extremos de la ilusión están pintados de negro y tal color en los bordes oculta el hecho de que la caja no se ha movido tanto. La asistente está encorvada entre las cuchillas y la parte central de la caja. Aunque desde la perspectiva del público una posición así parece imposible, para la ayudante el reto es sencillo. El verdadero propósito de las cuchillas es ocultar el interior de las cajas de la vista del público. La caja móvil tiene una cubierta de tela negra, en la tapa y el fondo de su sección. Este material se mueve junto con la caja, ocultando así los interiores... y el secreto.

Lo que resulta único en esta ilusión es no tanto la manera como funciona, sino el hecho de que puede ejecutarse en escenarios redondos. Es fácil de usar y de mover, y puede realizarse rápida y mágicamente en casi cualquier teatro o instalación escénica.

Toda la ilusión está en las ruedas del mueble, pues permite darle vueltas a la caja para mostrar todos sus lados, antes, durante y después de la realización del truco, lo que aumenta considerablemente la confusión y el asombro del auditorio.

Muchos magos también le añaden a la ilusión un cambio de vestidos. La ayudante entra en la caja vistiendo un traje de noche y sale de ella en bata. A veces es el mago quien entra en la caja y su asistente realiza el truco con él.

No pierda el interés por lo sencillo de este truco. Esta es una gran ilusión que ha hecho maravillas a favor de las carreras de los magos. Este truco es, en definitiva, una gran ilusión y verdadero cimiento de la reputación del mago.

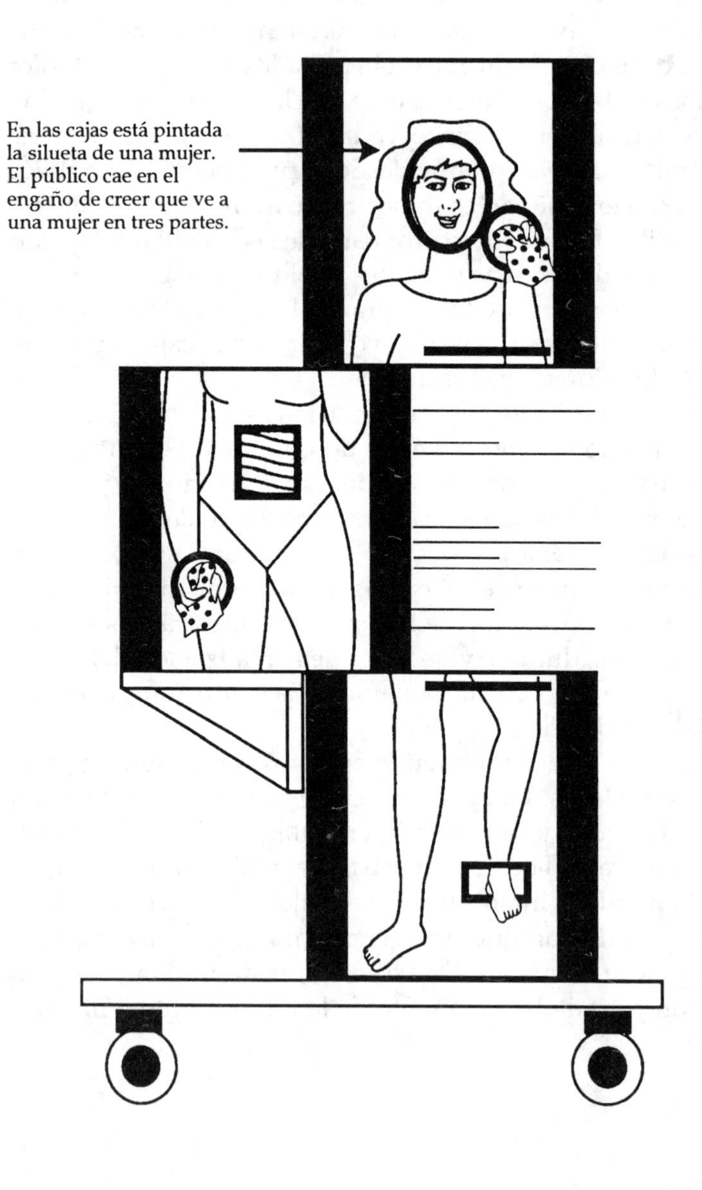
En las cajas está pintada
la silueta de una mujer.
El público cae en el
engaño de creer que ve a
una mujer en tres partes.

Qué pasa realmente

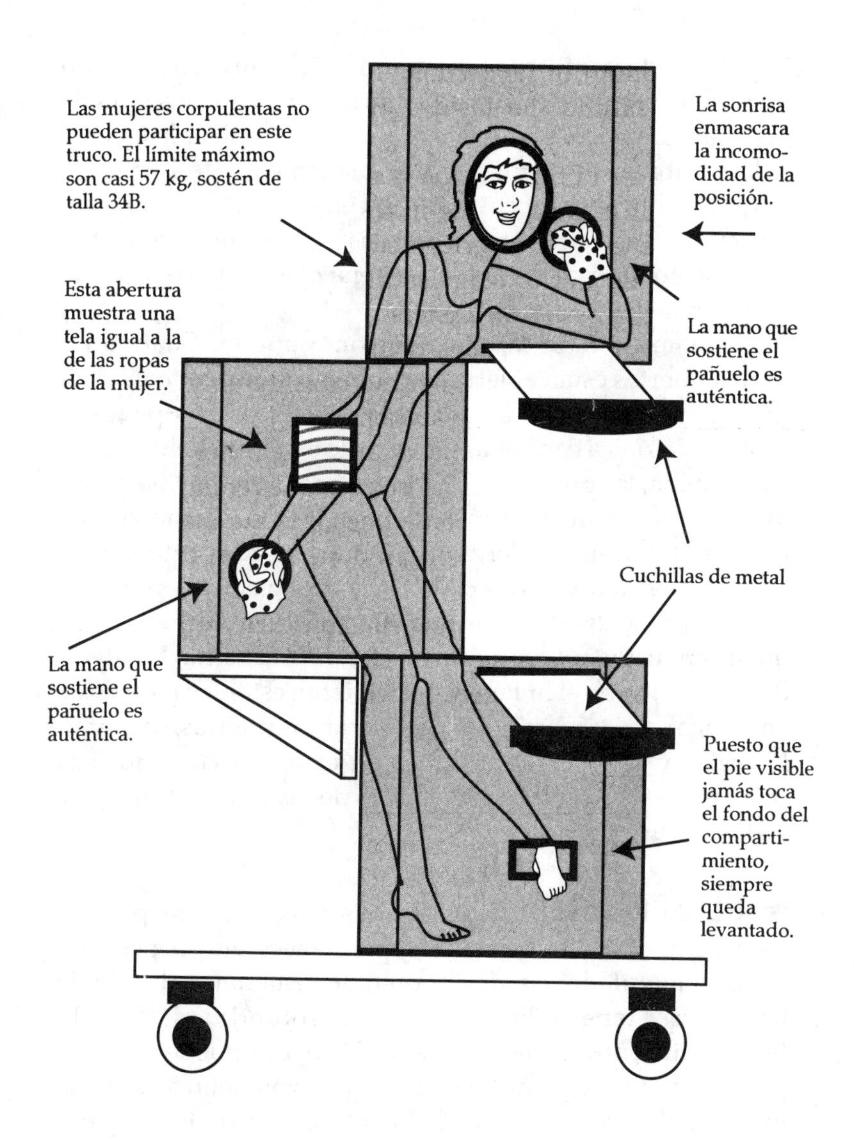

Mujer mal armada

Popularizada por los magos modernos, esta ilusión se ve con frecuencia en los escenarios. Es fácil de realizar y se puede presentar mientras el público rodea por completo la escena.

Una cabina rectangular, aproximadamente de 1.65 m de altura, es llevada al centro del escenario. Está compuesta por cuatro cajas de tamaños iguales, una encima de la otra. El conjunto reposa sobre una pequeña plataforma o pedestal que cuenta con cuatro ruedas.

El frente de cada caja se abre como puerta. Cuando las cuatro puertas están abiertas, el público puede ver con claridad el interior, vacío. La pila de cajas semeja una pequeña cabina telefónica con ruedas. Luego, la asistente se introduce en la cabina, las puertas se cierran y unas placas de metal son introducidas entre cada caja, una en el fondo de cada caja y una en el extremo abierto de la caja. Luego, las tres cajas superiores son apartadas de la de abajo y paseadas por todo el escenario. Cuando se las vuelve a apilar, son colocadas en un orden distinto. Las puertas se abren y muestran la cabeza de la asistente en el lugar en que debieran estar los pies, éstos en el lugar de las piernas, etc. Se cierran las puertas, se retiran las cajas y se vuelven a armar en el orden correcto. Las puertas se abren y la asistente sale de las cajas, completa y vistiendo una ropa diferente.

✦ EL SECRETO: Las tres cajas superiores se pueden separar de la de abajo, la cual permanece en un pedestal hueco y angulado. Desde el punto de vista del auditorio, la base parece tener sólo unos 5 cm de profundidad. Cuando la asistente entra en la caja y el público aún puede verla, se para sobre dos pequeños peldaños que están dentro de la caja inferior. Una vez adentro y habiéndose cerrado las puertas, ella se bajará de los peldaños hacia la base del pedestal.

Luego, se acuclilla para quedar en el hueco del pedestal y en la cuarta caja. Las otras tres cajas tienen dos puertas con truco: la del frente, a través de la cual entra la asistente a la caja, y una pequeña puerta falsa en la parte de atrás. La segunda puerta (o puerta trasera) conduce a un espacio de sólo 5 cm de profundidad, con un fondo negro.

Las cuatro cajas tienen una puerta verdadera en el frente. Las tres de arriba tienen una puerta falsa o trucada en la parte trasera de cada una. Dentro de cada una de las puertas falsas hay una pieza de muñeca, vestida con la misma ropa que vestía la asistente al momento de entrar en la caja. Estas partes del cuerpo pueden comprarse en tiendas de disfraces, talleres de costura o con decoradores de escaparates.

Las placas de metal se insertan entre las cajas a fin de que no se vea que éstas se hallan vacías. Mientras las cajas se quitan y vuelven a poner, el público no podrá ver el interior, lo cual permite que el truco funcione bien incluso si el público está sólo a tres metros de distancia.

La altura de la base varía entre los 37.5 y los 50 cm, dependiendo del tamaño de la asistente. Quizá este espacio parezca pequeño, pero las asistentes resisten muchas cosas durante los actos de magia. Cuanto más profunda sea la base, más espacio tendrá para acuclillarse. La base tiene un declive de un ángulo de 45 grados en todos sus lados. Como está pintada de negro, nadie que no esté justo encima de ella podrá ver esto.

La ayudante, encima de otro traje, viste ropas que se desgarran con facilidad; así, puede salir de la caja con un vestuario diferente. Cuando la asistente aparece, las ropas deshechas quedan en la base de la caja. El mago puede realizar este truco con una asistente, o incluso con dos. Mover las tres cajas y ponerlas a girar es parte de la confusión, pues el público ya no sabe cuál es la puerta del frente y cuál la trasera.

Es fundamental darle vueltas a las cajas para confundir al auditorio. Este buen truco funciona mejor si se ejecuta con música que si se realiza entre comentarios y explicaciones. Sucede así porque los movimientos de la ilusión fluyen y las palabras interrumpen su efecto casi hipnótico.

Desde el punto de vista del público, la asistente parece haber sido desarmada y luego rearmada, pero incorrectamente. Cuando aparece su cabeza en la visión mal armada, conviene que sonría y mire para todos lados. Algunos magos añaden movimiento a las manos y los pies falsos. Recuerde que el mago puede comprar las partes móviles, o bien fabricarlas él mismo. Como esta ilusión se realiza mecánicamente, el mago puede dedicar su tiempo al aspecto teatral en lugar de preocuparse por los detalles de ejecución. Ya sea que este truco forme parte de una producción teatral, o que se ejecute como acto aislado, el público lo disfruta mucho. He visto que a veces se realiza invirtiendo los papeles del mago y la asistente. De cualquier modo, se trata de una de las mejores ilusiones que pueden conseguirse en la actualidad.

Suspensión con chorros de agua

Las suspensiones son una variante de las levitaciones. En una suspensión, la persona no se levanta, sino que permanece en el aire, que es donde el mago la ha colocado. Las levitaciones, en cambio, elevan a la persona desde un punto específico.

Esta suspensión, aunque se llame suspensión con chorros de agua, puede ejecutarse de muchas maneras diferentes. Los chorros de agua, sin embargo, le dan un toque de confusión al efecto.

El mago ha llevado al centro del escenario una base con ruedas. Cuando se acciona un interruptor, de la base surgen unos chorros de agua que se levantan 90 cm a partir de este punto. Hay muchos chorros a lo largo de la base, la cual debe medir más o menos 1.50 m de longitud por 30 cm de profundidad. Luego el mago coloca sillas en cada extremo de la base de modo tal que los respaldos queden uno frente al otro y también frente a los chorros de agua. Luego se coloca un tablero sobre los respaldos de las sillas, justo en el ápice de los chorros de agua (el tablero es opcional). Ahora se verá que los chorros de agua chocan contra la parte inferior del tablero antes de que la gravedad atraiga de nuevo el agua hacia la base.

El asistente parece hipnotizado y, con ayuda de otra persona, el mago lo recuesta sobre el tablero. Las dos sillas son retiradas y se hace pasar por completo un aro alrededor del asistente suspendido. Las sillas se vuelven a colocar en su sitio y se acciona el interruptor para suspender los chorros de agua. El asistente sale del estado hipnótico y baja del tablero. Las sillas se quitan de ahí y la plataforma con ruedas es retirada del escenario.

✦ EL SECRETO: En la actualidad la ilusión está totalmente automatizada. En los modelos antiguos, el mago tenía que usar unos alambres que bajaban del techo o de un tipo de aparato colocado detrás de un telón.

En esta versión se usa un poste de plástico de lucita transparente. Si el mago ejecuta el truco en la versión del tablero de madera, la lucita se coloca como poste en el centro de la plataforma del agua. Como es transparente, el público no puede ver el poste. El tablero tiene un hoyo en el centro, donde se introduce el extremo del poste al momento de colocar el tablero en su lugar. En este truco, los chorros de agua sólo sirven para distraer o confundir. Cuando se pasa el aro alrededor del asistente flotante, las ondulaciones del agua sobre el aro resultan ser un espectáculo atractivo para el público.

Para pasar el aro sobre el tablero y alrededor del poste vertical de lucita, utilice un aro de 90 cm de diámetro. Comience a pasar el aro por uno de los extremos del tablero.

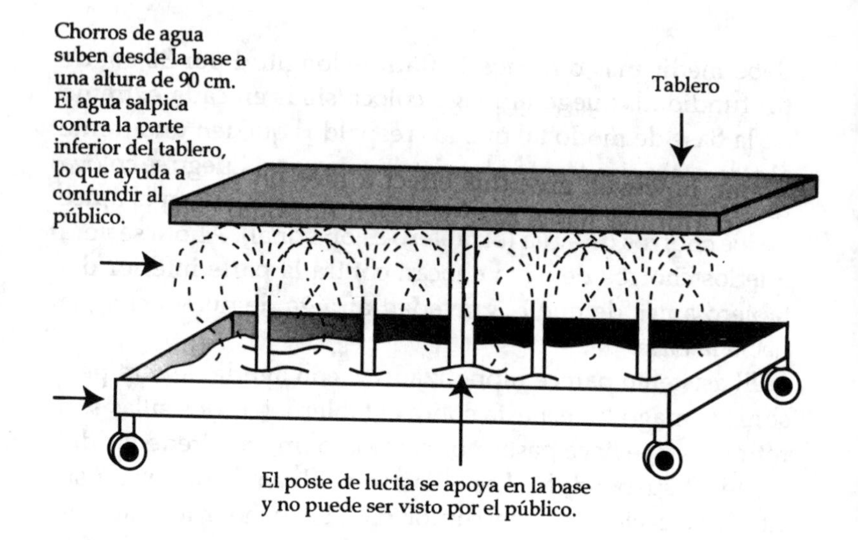

Detalle:
el poste de lucita se encaja en el corte de la parte inferior del tablero.

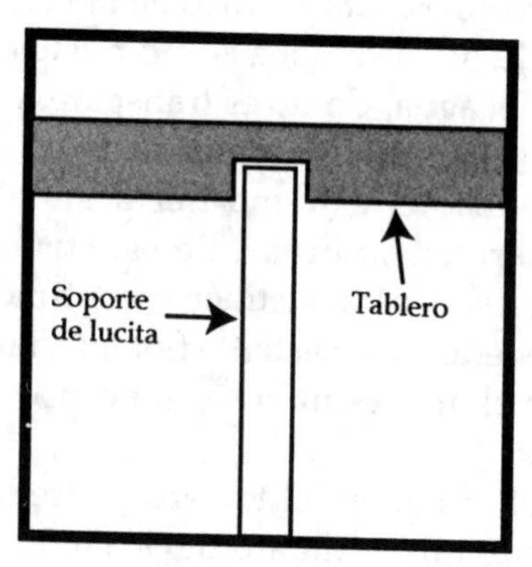

Cuando el aro llegue al centro, hágalo regresar por la misma trayectoria que acaba de recorrer; luego muévalo describiendo un arco hacia el otro extremo del tablero hasta que quede debajo del tablero. Mueva el aro hacia el extremo desde el cual comenzó a pasarlo y llévelo otra vez por encima del tablero. Haga oscilar el aro otra vez con el mismo movimiento circular, luego aléjelo hasta el extremo opuesto del tablero. Este movimiento de aro es idéntico al que se realiza en la ilusión de la suspensión S. Con ello parecerá que se demuestra que no hay nada arriba, abajo o alrededor del tablero flotante. Mientras tanto, los chorros de agua salpicarán contra el aro y el tablero, lo cual ocasionará una gran distracción.

Si usted no desea utilizar un tablero, el poste de lucita deberá tener en su parte alta un tablero de lucita que sustituya al de madera.

Cuando se abren los chorros de agua por primera vez, su altura llega hasta unos 2.5 cm por debajo del tablero de lucita. Luego, cuando el asistente ha sido recostado en el tablero invisible, su cabeza y sus pies parecen estar apoyados en los respaldos de las sillas. En realidad, su espalda descansa sobre el tablero secreto. Antes de retirar las sillas, incremente el poder de los chorros de agua para que suban más. Esto se hace para que los chorros lleguen hasta el tablero y el asistente. (En esta versión, el asistente terminará mojado, pero así es este negocio.) Luego los chorros suben todavía más hasta que parezca que sostienen al asistente cuando las sillas se ponen a un lado.

Después de quitar las sillas podrá pasar el aro de la misma manera que antes. Ya sea que utilice un tablero de madera o uno de lucita, esta suspensión realmente sorprende al público.

SUGERENCIA: Si ejecuta esta ilusión con un tablero de lucita no cierre los chorros de agua una vez terminado el acto. Si lo hace, quizá un poco de agua seguirá goteando desde el tablero de lucita, con lo cual se revelaría el secreto.

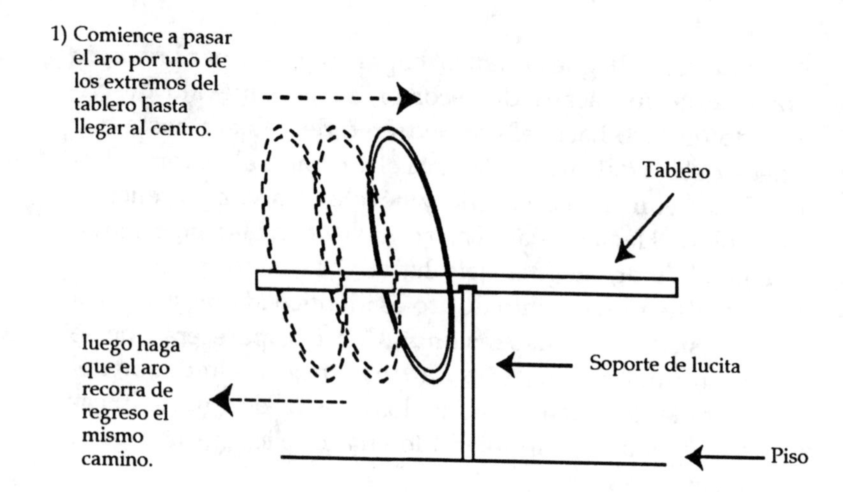
1) Comience a pasar el aro por uno de los extremos del tablero hasta llegar al centro.
Tablero
luego haga que el aro recorra de regreso el mismo camino.
Soporte de lucita
Piso

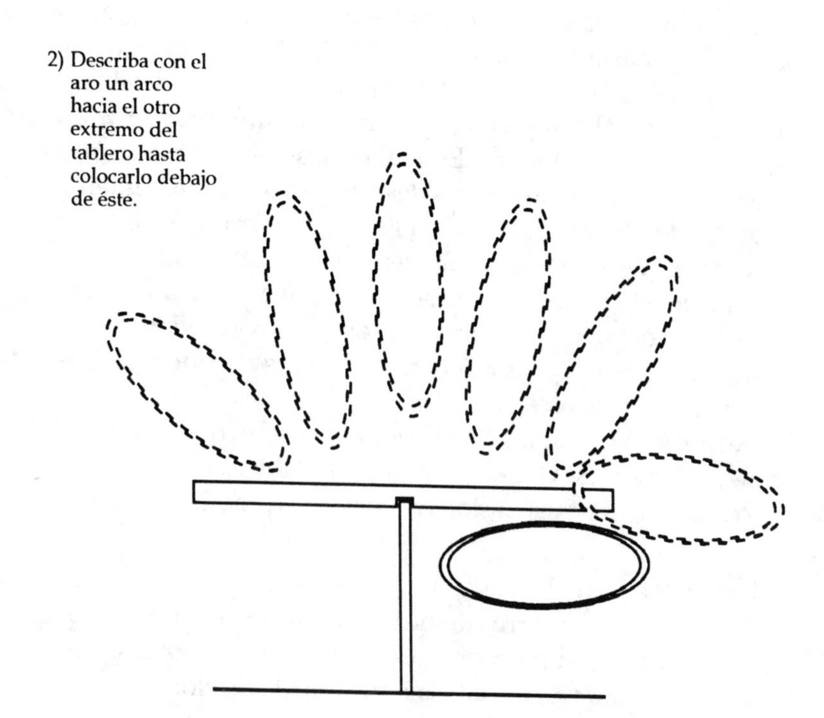
2) Describa con el aro un arco hacia el otro extremo del tablero hasta colocarlo debajo de éste.

3) Mueva el aro hacia el extremo desde el cual inició el recorrido y vuélvalo a llevar a la parte superior del tablero.

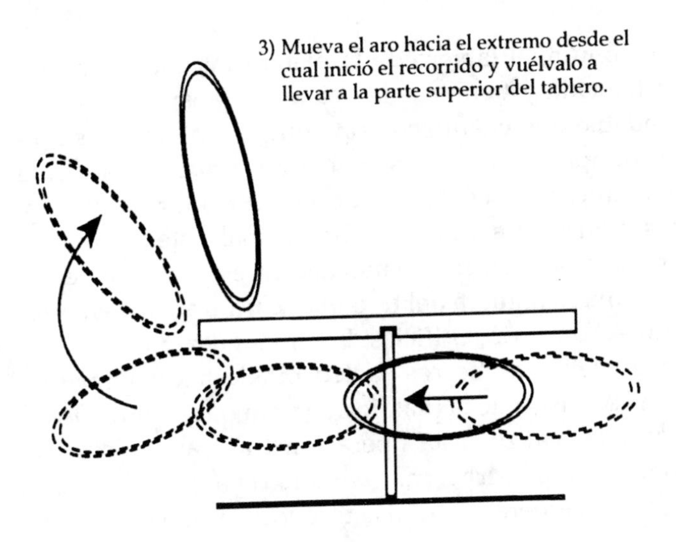

4) Haga que el aro vuelva a realizar el mismo movimiento circular y luego hasta más allá del extremo opuesto del tablero.

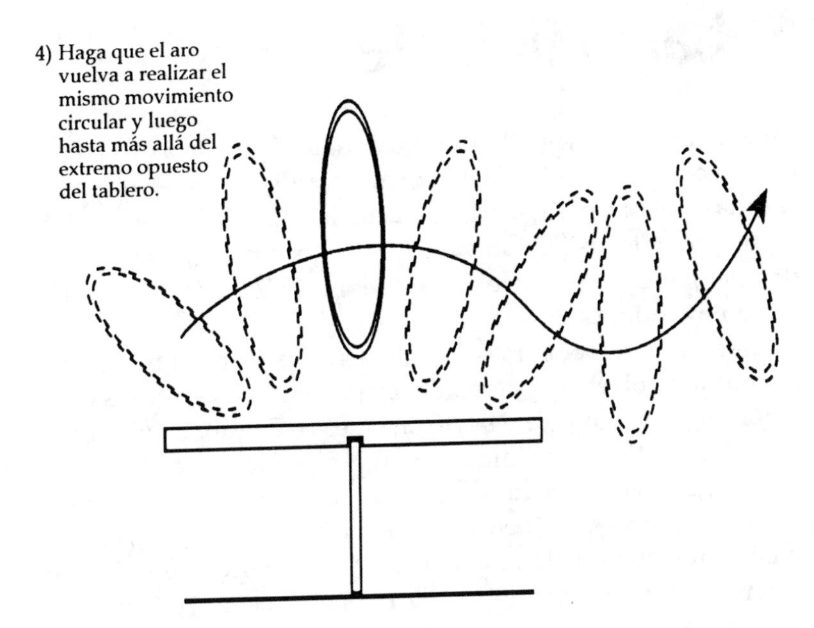

Por lo común, el tablero de la plataforma está hecho de madera terciada y tiene ruedas para su transportación. Es recomendable que cuente con un equipo para evitar salpicaduras, donde pueda recolectarse el agua que fluirá. Tome en cuenta que un poco de agua caerá al piso. Esta ilusión, entonces, bien podría usarse como acto final: usted no querrá realizar más trucos en el piso mojado del escenario. En el tablero hay una manguera del tipo que se utiliza para asperjar los jardines, con varios orificios. Esta manguera permite que el agua se eleve en chorros. Usted puede hacer girar una manivela en la base de la plataforma para que el agua fluya, o bien puede realizar esta operación tras bambalinas. De cualquier manera el truco no requiere de ayuda mecánica; basta una manguera y un abastecedor de agua para que funcione.

El balón flotante

Ya sea que usted haga flotar un balón, una pañoleta de seda u otra cosa por el estilo, la ilusión de ver algo flotar en el aire resulta de enorme belleza. Este efecto tiene muchas variantes. La mayoría de los ilusionistas de escenario lo han realizado de una manera u otra y le dan el crédito a Howard Thurston por su método, estilo y forma de abordarlo.

En su presentación más sencilla, en este truco el mago le ordena a un objeto que flote. El objeto, que en este caso es un balón, al principio yacerá sobre una mesa o dentro de un gabinete. Luego flotará en dirección al mago. Una vez que está en las manos del ejecutante, el balón flotará de una mano a la otra y también alrededor. Conforme la ilusión avanza, el balón empezará a flotar por todo el escenario y en algún momento también sobre el público. El final llegará cuando el balón se desvanezca en el aire o dentro del gabinete al centro del escenario.

Por lo general, este truco se acompaña de música para que parezca que el balón danza por el escenario.

✦ **EL SECRETO:** Se ejecuta mediante cuerdas, así como con cómplices fuera del escenario, avíos y gabinetes especiales.

Empecemos por el balón. Ligado a éste por medio de una pequeña lazada hay una cuerda muy delgada llamada invisible. Esta es la cuerda "A" y corre hacia arriba hasta los ojillos de la herrería sujeta en el techo del escenario, y luego se aleja hacia las alas o área que está detrás del escenario.

Una segunda cuerda, la cuerda "B", corre por la lazada en el balón hasta llegar a otra lazada que sostiene el mago. Esta cuerda también corre a través de ojillos hacia afuera del escenario.

Por lo común, el balón es extremadamente ligero y está hecho de un material muy brillante, que provoca que el balón sea muy visible bajo el reflector.

En mi versión de esta rutina tomo en secreto la cuerda "B" haciendo con su extremo un nudo en mi pulgar. El balón puede estar oculto en una caja sobre mi mesa, o bien sobre la mesa simplemente. Conforme camino alejándome a partir del sitio donde está el balón con la cuerda "B" en mi pulgar, mi ayudante tras bambalinas tira lentamente de la cuerda "A". El movimiento conjunto de las dos cuerdas provoca que el balón se eleve lentamente. Recuerde que me alejo muy despacio del balón que se levanta.

Cuando todas las miradas están confundidas por ver que el balón se eleva, disimuladamente hago pasar la cuerda "B" sobre mi hombro, de modo que ahora la cuerda "B" está enlazada en mi mano izquierda, sube por mi hombro, se extiende en mi mano derecha y luego regresa al balón que se eleva.

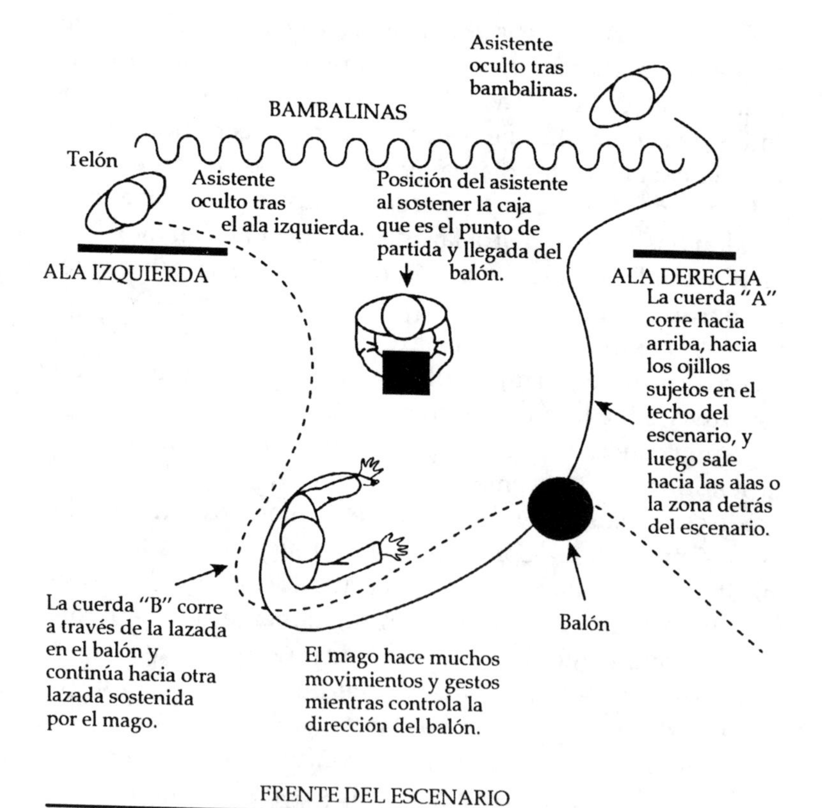
Asistente
oculto tras
bambalinas.
BAMBALINAS
Telón
Asistente
oculto tras
el ala izquierda.
Posición del asistente
al sostener la caja
que es el punto de
partida y llegada del
balón.
ALA IZQUIERDA
ALA DERECHA
La cuerda "A"
corre hacia
arriba, hacia
los ojillos
sujetos en el
techo del
escenario, y
luego sale
hacia las alas o
la zona detrás
del escenario.
Balón
La cuerda "B" corre
a través de la lazada
en el balón y
continúa hacia otra
lazada sostenida
por el mago.
El mago hace muchos
movimientos y gestos
mientras controla la
dirección del balón.
FRENTE DEL ESCENARIO

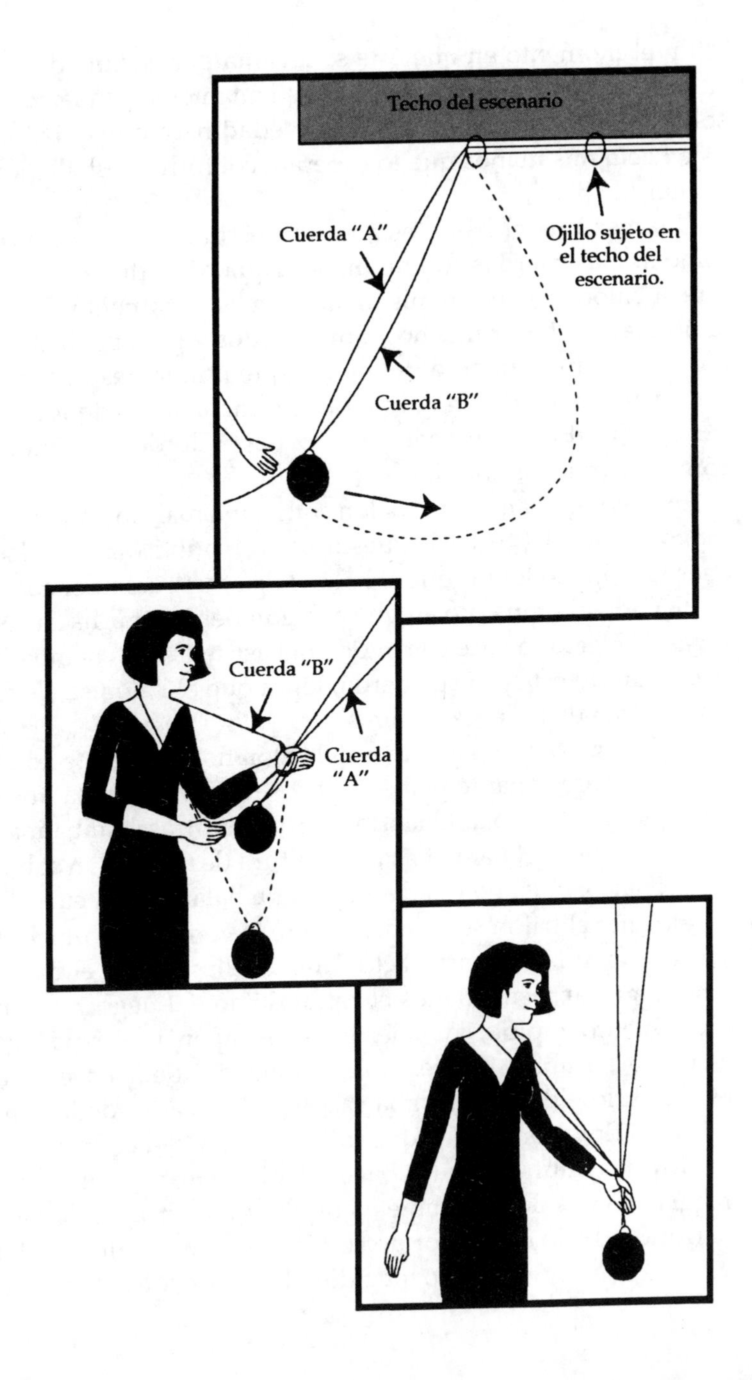
Techo del escenario
Cuerda "A"
Ojillo sujeto en
el techo del
escenario.
Cuerda "B"
Cuerda "B"
Cuerda
"A"

En el momento en que éste se levanta por encima de mi cabeza, el asistente tras bambalinas lentamente comienza a soltar la cuerda "A". Luego la gravedad hace que el balón baje hacia mis manos que lo esperan, conforme resbala por la cuerda "B".

Una vez que el balón está entre mis brazos extendidos, tomo ambas cuerdas con mi mano izquierda. Ahora parece que el balón flota entre mis manos. En este momento tengo la libertad de hacer muchos movimientos y gestos mientras controlo el movimiento del balón, que puede desplazarse de arriba abajo, de un lado a otro, o incluso alrededor de mi cuerpo. El movimiento exacto depende de la manera como controlo las cuerdas.

En general, piense en el balón como una marioneta y en el mago como el titiritero. Puesto que el público no ve las cuerdas, puedo lograr que el balón haga casi cualquier cosa.

Llegado el momento en que el balón debe flotar hacia las vigas, el efecto se hace con ayuda del asistente tras bambalinas. Cuando éste jala su cuerda, logra que el balón se eleve por encima de la cabeza del mago.

Si el mago se retira aún más del balón flotante, el efecto se ve más impresionante pero a la vez se provoca que la línea "B" quede más floja. Cuando el asistente tras bambalinas hace descender el balón hasta una altura de 60 ó 90 cm sobre el escenario, el mago puede empezar a balancear la cuerda, con lo cual el balón se balancea sobre la gente. Hay muchas opciones para finalizar el acto. Una de ellas es que el mago haga regresar a sus manos el balón flotante. Luego, con un movimiento rápido, las cuerdas se rompen y el balón es arrojado al público. Entre otras opciones se puede hacer que el balón flote de regreso a la caja o a la mesa desde la cual inició su flotación, o bien que salga flotando del escenario.

Howard Thurston utilizaba una cabina para espíritus. Este recurso consta de un gabinete grande con puertas en la parte frontal. Todo el interior de la caja es negro. Oculto en ella yace un asistente, vestido todo de color negro, que el público no puede ver. En sus manos hay una bolsa o una caja negra. El mago mueve el balón lo suficientemente cerca del asistente de modo que éste pueda atrapar y sostener la cuerda "B". Luego, con ayuda del asistente, el balón flota hacia el interior de la cabina aparentemente vacía y, una vez dentro, se le hará desaparecer introduciéndolo en la bolsa o la caja que sostiene el asistente revestido de negro. Posteriormente, se cierran las puertas y el truco se da por terminado.

Con las luces y escenificación correctas, y una práctica adecuada, este efecto resulta maravilloso, pero requiere de mucho trabajo. Por cierto, el truco sólo resultará mágico en un escenario debidamente preparado. Evidentemente no puede realizarse a la luz del día, en exteriores, con una plataforma o un equipo semejante. La disposición más adecuada es un escenario grande y profundo, como el del Radio City Music Hall.

En realidad, las posibilidades actuales de realizar esta ilusión son limitadas. Allá en los primeros días de la magia, cuando el vodevil y los grandes escenarios estaban en el pináculo de su popularidad, este truco era muy popular y efectivo. Los magos de hoy rara vez tienen la oportunidad de realizarlo porque la televisión no lo trata bien. ¿Por qué? Porque a menudo la cámara hace visibles las cuerdas.

Entre paréntesis, cuando sugiero que se use cuerda, piense usted en el nailon negro de costura o cuerda de pescar. Asegúrese de que sea muy fuerte: si se rompiera, el truco se arruinaría por completo.

Kreskin
adivinador del pensamiento

Durante casi treinta años los estadounidenses han disfrutado de la magia, el ilusionismo y los actos de percepción extrasensorial, que asombran a la mente, realizados por el sorprendente Kreskin.

Kreskin nació el 12 de enero de 1936 en West Caldwell, New Jersey, con el nombre de George Joseph Kresge hijo. Inició su viaje por el mundo de la magia cuando descubrió los libros de historietas del Mago Mandrake. A la edad de once años Kreskin ya utilizaba el "hipnotismo" en su acto de magia.

A finales de los sesentas y principios de los setentas, Kreskin alcanzó la fama por su habilidad de leer la mente, hipnotizar a su auditorio y realizar cualquier otra hazaña conocida relativa a la transmisión del pensamiento. En público, jamás se asoció con magos, pero en privado estaba orgulloso de pertenecer a la misma jerarquía que los grandes de la magia, como Dunninger o Alexander.

Uno de los actos más notables de Kreskin era su truco del cheque de pago. Kreskin salía del teatro bajo vigilancia. Entre tanto, algunas personas del público escondían el sobre que contenía el cheque de su salario de la presentación de esa noche. Cuando Kreskin regresaba, siempre se las arreglaba para encontrar el cheque.

Aunque Kreskin nunca afirmó poseer percepción extrasensorial, jamás lo negó tampoco, lo cual provocó que muchos magos consideraran su espectáculo como asunto de excepción. Algunos magos piensan que todos aquellos que ejecutan trucos de magia deben hacerle saber al público que son ilusionistas. Al mismo tiempo que Kreskin alcanzaba sus máximos niveles de fama, un joven de Israel llamado Uri Geller comenzó a ganarse los titulares de los diarios. A diferencia de Kreskin, Geller manifestó poseer poderes psíquicos. Lo que ocurrió a continuación sólo enriqueció la carrera de Kreskin. Como Kreskin tenía por esa época su propio programa de televisión, continuamente demostraba que los despliegues de destreza de Geller eran simples trucos de salón. En todo ese tiempo, Kreskin aún no le decía al auditorio si sus propias destrezas eran trucos o verdaderos poderes.

Durante el apogeo de Kreskin, su programa de televisión, "The Amazing Kreskin" (El sorprendente Kreskin) era el más popular en Canadá. Eran más los canadienses que veían a Kreskin que los que veían "Hockey Night in Canada" (Noche de Hockey en Canadá), el programa del deporte nacional de aquel país. Aún hoy, Kreskin continúa presentándose en instalaciones universitarias y, de vez en cuando, en programas de televisión. Su espectáculo es actualmente tan dinámico como lo era hace veinticinco años.

Conocí a Kreskin después de uno de sus programas en Toronto. Ocurrió que tanto yo como Doug Henning estuvimos en el escenario después de su actuación, para conocer al gran hombre. Kreskin estaba muy impresionado con el espectáculo "Spellbound", que Doug Henning estaba presentando en el teatro Royal Alex de Toronto.

A Kreskin le gusta decir que sus presentaciones son experimentos de percepción extrasensorial, y no trucos de magia. Esa caracterización suya siempre ha evocado ideas equívocas acerca de su acto, y la gente va a sus espectáculos preguntándose de antemano si aquello es real o simple triquiñuela.

Sin embargo, artista al fin, el espectáculo de Kreskin siempre es entretenido. Es tan bueno en el control de la emoción de su público que ha habido ocasiones en que abandona el teatro en muchos de sus espectáculos y continúa su presentación vía telefónica o por medio de monitores de televisión instalados en el auditorio. En estos trucos a control remoto, hace que algunas personas en el teatro oculten objetos o que realicen una serie de experimentos que él inventa. Luego, mientras permanece afuera del teatro, revela la localización de un sobre, su contenido, su mensaje, etc.

Kreskin ha tenido sus momentos de pelea con otros magos, la más famosa de las cuales fue la que trabó con Joseph Dunninger. Hacia el final de la carrera de Dunninger, el que alguna vez fuera el más grande "mentalista" del mundo, atacó a Kreskin por su forma de utilizar las ilusiones. Dunninger afirmó que la mayoría, si no es que la totalidad, de los actos de Kreskin no eran sino meras copias de su espectáculo. Kreskin respondió con un libro donde atacaba a Dunninger y revelaba todos los secretos del quehacer del viejo mago. Kreskin ha sobrevivido a sus rivales. Poco después de la aparición del libro, Dunninger murió. Uri Geller ya se había retirado desde entonces.

Al final, Kreskin, lleno de energía, siempre agudo y caballeroso, sigue sorprendiendo y bromeando con su público. Si bien ya no actúa tanto como hace diez años, aún llena todos los lugares donde presenta su espectáculo. En una conversación telefónica reciente, me dijo que, mientras viva, seguirá actuando.

La bolsa de dinero

Este truco le ganó mucha fama al sorprendente Kreskin.

El mago le entrega a algunas personas del público varias bolsas de papel (cinco, por lo general). Antes de hacerlo, les muestra que dentro de una de las bolsas se ha metido un billete de cien dólares. El mago se concentra, luego pide a los voluntarios que prendan fuego a dos de las bolsas y que regresen a sus asientos con las otras dos. En el escenario queda una bolsa. Desde luego, el billete de cien siempre aparece en esa bolsa restante.

✦ EL SECRETO: Aquí nuevamente, el secreto radica en la sencillez, junto con una gran presencia escénica y una brillante presentación. En realidad el billete de 100 dólares jamás es colocado en ninguna de las bolsas. En lugar de ello, el mago finge que sí lo hace. De hecho, el mago ha escondido el dinero en la palma de su mano al momento de fingir que colocaba el billete en la bolsa.

Al final, el mago toma la bolsa restante y la rompe con violencia, al tiempo que el dinero oculto en la palma parece surgir misteriosamente de la bolsa rota.

He visto que este truco se realiza también con un toque de comedia; aquí, el mago le pide prestado un billete de alta denominación a alguna persona del público. Durante el truco, el mago actuará como si éste no hubiese funcionado. Para ello, romperá la bolsa restante y fingirá no hallar el dinero dentro. Luego el mago pedirá a los espectadores que colaboraron, que abran sus bolsos de mano, que busquen en sus bolsillos e incluso bajo sus asientos. Y nada.

En este momento, el público creerá que el dinero literalmente se ha evaporado, sólo para que en seguida el mago lo recupere de algún bolsillo o de detrás de la oreja de alguna persona.

Este efecto se logra del mismo modo que se ha señalado antes, excepto que el dinero no debe estar oculto en la palma al momento de romper la bolsa que queda en el escenario. Una buena forma de deshacerse del billete es guardándolo en el bolsillo mientras se saca la caja de fósforos que se usará para quemar las bolsas en el escenario.

Cerrojo y llave

Otro de los grande trucos del "mentalismo", que puede realizarse con un "cerrojo para espíritus", de venta en la mayoría de las tiendas de magia, o exclusivamente por medio de triquiñuelas.

Los magos le piden a once espectadores (o a cinco, o al número que usted quiera) que suban al escenario. Luego el mago entrega a cada uno de ellos una llave y cada cual trata de abrir un candado que él mismo les ha dado. Descubrirán que sólo una llave abre el cerrojo.

Poco después, el mago le pide a uno de los espectadores que se presente. Esta persona es encadenada por completo, y luego se le pone el candado para asegurar el cerrojo. Los espectadores colocan sus llaves en un tazón grande y las revuelven. Todas las llaves, excepto una, se sustraen del tazón al azar y se las coloca en un sobre grande. El mago sale con el sobre y lo deposita en un buzón de correos o de algún banco.

Cuando se ha hecho todo esto, la llave que queda se le entrega a un asistente, quien trata de abrir el candado con ella, y mágicamente libera al espectador.

✦ EL SECRETO: El método más sencillo de realizar este truco es el que emplea el cerrojo para espíritus. Este cerrojo tiene un mecanismo en su interior que produce lo siguiente: nueve de las diez llaves no pueden abrirlo al primer intento.

La décima sí y, a partir de entonces, también las otras nueve pueden hacerlo. La mayoría de los magos utilizan este método.

Los otros métodos requieren de dos juegos de llaves. El primero se le entrega a los espectadores. En el primer intento, ninguna de las llaves abrirá el cerrojo. En determinado momento, el primer juego de llaves es cambiado por los duplicados de diez llaves que sí abren el cerrojo. Un método para cambiar las llaves es emplear la bolsa para espíritus, que puede usted adquirir en la tienda de magia de su localidad. El cerrojo y las llaves se pueden conseguir en cualquier ferretería.

Sea cual sea la forma de ejecutar este truco, usted siempre aparecerá como un verdadero amo de los trucos. Éste en particular es magnífico para ser presentado en escenarios, salones, clubes, por televisión, en comedias o en donde usted quiera.

Encuentre el cheque de pago

Otro de los grandes trucos de adivinación del pensamiento es el juego en el cual se esconde un cheque de pago.

Se invita al auditorio a que oculte el cheque de pago del ejecutante. Básicamente, un miembro del público puede ocultar el dinero en cualquier lugar que elija. Si el mago no puede hallarlo, pierde su dinero. A menudo el mago saldrá del escenario o del teatro. Es igualmente efectivo permanecer en el escenario con los ojos vendados, de espaldas al auditorio, rodeado por un grupo de gente del público. Mientras tanto, el administrador del club le ha entregado un sobre a algún espectador. En su interior se halla el cheque de pago del mago por su actuación de esa noche. El sobre puede ocultarse en cualquier parte del auditorio: bajo algún asiento, en algún bolso del público, en los ductos de aire o donde sea. Los lugares para ocultarlo son ilimitados. No importa dónde lo escondan, el mago será capaz de encontrar el sobre y engañar al público cuantas veces quiera.

✦ EL SECRETO: También en este caso hay muchos métodos para realizar el milagro. Con frecuencia el mago seguirá varios métodos en cada presentación. De este modo es más seguro lograr la ilusión, pues hay menos posibilidades de que el truco falle.

Una vez que el público está convencido de que el cheque está bien escondido, la comitiva que se encuentra en el escenario retira la venda de los ojos del mago. La persona que ocultó el objeto se reunirá con el mago en el escenario, mientras que a los miembros de la comitiva se les agradece su participación y se les pide que regresen a sus asientos. El espectador restante camina ahora junto al mago en un juego similar al "caliente o frío", excepto porque el mago no pregunta qué tan cerca está del sobre.

Primer método: Antes del espectáculo se ha mezclado entre el público un cómplice. Como toda la gente sabe dónde se ha ocultado el dinero, el asunto es tan simple como hacerle saber al mago si se está acercando o no. Mientras el mago camina por el teatro, el cómplice usa toda una variedad de señales para indicarle al mago por dónde ir, hasta que aquél localiza finalmente el sobre.

Segundo método: El cómplice es la persona que oculta el dinero, o bien la que camina con el mago. Así, la tarea se reduce a dirigir al mago por varios lugares sólo para que crezca el suspenso. En este caso, el mago puede permanecer vendado de los ojos y sostenerse del brazo del cómplice mientras camina por la sala.

En el segundo método, el mago puede declarar —sin mentir— que entre los espectadores no hay cómplices, e incluso ofrecer una recompensa si se demuestra que entre ellos hay algún aliado. Desde luego, el mago puede hacer que esta afirmación sea cierta si la hace en el momento en que el cómplice está en el escenario y no entre el público.

Tercer método: El método de alta tecnología se está volviendo muy popular entre los magos de la actualidad. Por medio de un aparato para escuchar, como el Whisper 2000, un ayudante tras bambalinas puede escuchar dónde ha sido escondido el sobre. O bien, mediante lentes de telefoto, un ayudante, también tras bambalinas, puede ver el sobre escondido. Con un transmisor inalámbrico y un receptor en poder del mago, la información puede ser transmitida rápida e imperceptiblemente.

El uso del método tres puede verse también en actos donde el mago vuelve al escenario y es capaz de decirle a diversas personas del público cierta información, como su nombre, por ejemplo. Utilizando estos recursos auditivos se puede recabar diversa información de tipo personal y emplearla en el espectáculo. Es sorprendente descubrir cuántas cosas revela la gente de sí misma antes de que empiece el espectáculo.

Cuarto método: Este es un truco conocido como "lectura de músculo". El mago sostendrá el brazo de la persona que ocultó el sobre. Conforme él o ella camina, el mago siente las contracciones voluntarias de los músculos del brazo de esta persona conforme ambos se acercan al sobre. Aunque es el modo más difícil, este método provoca un efecto sobrenatural. A la mayoría de la gente le resultará imposible guardar la calma mientras ocurre la búsqueda.

SUGERENCIA: Utilizar más de una de las técnicas durante un espectáculo incrementará mucho las probabilidades de que el mago tenga éxito, pues deja un margen de error más pequeño. Obviamente, esta ilusión requiere de mucho tiempo. Usted debe primero describir qué va a hacer y por qué. Luego debe organizar a la comitiva que estará con usted en el escenario. El tiempo que consume el acto de ocultar el cheque no puede ser medido porque depende del público. Encontrar el cheque también requiere de algún tiempo. He visto ejecuciones de este truco que duran cuarenta minutos. Si la totalidad de su espectáculo consiste en presentar sólo este truco, es posible que no vaya a tener muchos contratos. Si lo usa como acto final, que es la mejor alternativa, asegúrese de dejar el tiempo suficiente para ejecutarlo. ¿Cómo sabrá usted cuál es el tiempo suficiente? Tendrá que hacer algunos tanteos para hacerse una idea de cómo son su estilo personal y su espectáculo.

Percepción extrasensorial y números del Seguro Social

Los ejecutantes de la magia siempre engañan al público cuando son capaces de leer los pensamientos de la gente reunida. Recitar el número del Seguro Social de alguna persona sigue siendo uno de los trucos más populares.

El mago entra al escenario y, con un cuaderno de notas o con un papel en la mano, empieza a escribir pensamientos que supuestamente le están siendo transmitidos por algunas personas del público. El mago menciona el nombre de una persona. La persona se pone de pie y el mago sigue hablando de cosas personales relativas a este espectador, cosas que sólo un lector de pensamientos podría saber. El mago continúa sorprendiendo a los miembros del auditorio mientras aparenta leer la mente de muchos de ellos.

✦ EL SECRETO: Este es uno de los trucos que resulta sencillo de describir y aun más sencillo de ejecutar. Aquí el verdadero truco radica en no aburrir demasiado al público mientras lee sus pensamientos.

La verdad es simple: el mago no conoce a ninguna persona del público, así que por ese lado no hay trampa. Él no tiene posibilidades de saber tantas cosas sobre cada una de las personas. Aun si el mago utilizara un dispositivo de audio como el Whisper 2000, sería imposible que recopilara la suficiente información como para efectuar este truco.

Entonces, ¿cómo lo hace? Simple. El público ofrece voluntariamente la información.

Conforme la gente del público ingresa, ya sea al club nocturno o al teatro, a muchos de ellos se les entrega una tablilla con pisapapeles y una pluma. Se les pide que escriban cualquier cosa que deseen les sea "leída" por el mago. Se les dice que ni el mago ni nadie verá jamás la hoja que han escrito. Una vez que han escrito sus más íntimos pensamientos, se les pide que sellen un sobre dentro del cual se ha introducido el papel, y que lo conserven en su poder.

Por lo común, las instrucciones que contiene el pisapapeles les sugieren ideas respecto a qué escribir; por ejemplo, número del Seguro Social, nombres de hijos y padres, fechas de nacimiento o aniversario, etc. Las anotaciones de toda esta información se realizan mucho antes que el mago salga a escena. No se le pedirá a toda la gente que participe en el experimento (tal cosa se llevaría demasiado tiempo). Una vez que al personal le son devueltos los pisapapeles y las plumas, ya no se harán posteriores comentarios respecto a lo escrito. En otras palabras, cuando el mago sale a escena no le agradecerá a la gente el haber escrito sus pensamientos en un papel.

En algún momento del espectáculo, el mago abordará sin más una rutina de lectura de la mente. A las personas que se les dio el pisapapeles también se les dijo que durante este segmento del espectáculo deberían ponerse de pie en el momento en que el mago mencionara alguna de las cosas escritas por ellos. Así, ellos forman parte del espectáculo, lo cual a todos les gusta.

El secreto está en la tablilla, la cual tiene una función especial. Todo lo que se escriba en el papel es copiado en carbón dentro de un compartimiento secreto de la misma. Cuando se recolectan los pisapapeles, éstos le son llevados al mago, quien a continuación hará notas de varios mensajes escritos por la gente del público. Estas notas estarán escritas en el mismo cuaderno que el mago lleva consigo a escena.

Cuando se supone que el mago está recibiendo mensajes telepáticamente, lo que hace en realidad es leer los mensajes que ha escrito la gente. Con todo y lo sencillo que es este truco, el impacto que recibe el auditorio es abrumador. Cuando se hace ante el público de un estudio de televisión, resulta aún más sorprendente para el teleauditorio, pues éste ignora que esas mismas personas presentes en el estudio y cuyas mentes están siendo leídas, en realidad escribieron antes sus datos. El televidente en casa sólo piensa que el mago está leyendo la mente, y las personas del auditorio están tan aturdidas que de manera automática se ponen de pie al oír que el mago está interpretando sus pensamientos.

La mayoría de la gente escribirá su número de seguridad social, pues piensa que éste es más difícil de adivinar que su nombre. Otros tratarán de engañar al mago escribiendo información incorrecta sobre ellos mismos. El mago siempre les gana el juego, ya que ve lo que está escrito antes de cada actuación. Las personas que dan información incorrecta quedan como tontas, pues el mago les dice exactamente lo que ellas han escrito.

Aproximadamente el 10% del público recibirá los pisapapeles, pero sólo habrá tiempo para leer la mente de la mitad de ellos. ¿Por qué no leer la de todos? El mago puede decirles que los espectadores no estaban lo suficientemente concentrados en su escrito. En realidad, las restricciones del tiempo impiden que el mago lea todos los pensamientos, pero éste le habrá pedido a todo el auditorio que se concentre en alguna cosa y agradecerá a todos por hacer esta prueba de percepción extrasensorial. El mago no dirá: "Aquellos de ustedes que escribieron algo en el pisapapeles deben concentrarse en ello".

¿Por qué deben escribir sus pensamientos los miembros del público? Si alguien hace esta pregunta, un asistente o el mago responderá que el pisapapeles sirve para facilitarle a la gente la concentración en los mensajes que le envían al mago.

¿Por qué conservaron sus mensajes los miembros del público? Como recuerdo del espectáculo, naturalmente.

SUGERENCIA: El mago astuto hará de este acto sólo una parte de su espectáculo. Hay mucho más que presentar en la actuación que sólo una lectura de mentes. Mucho, mucho más.

Kardeen
la siguiente generación

La primera parte de los setentas atestiguó el principio de un renacimiento de la magia. El sorprendente Randi presentaba sus escapes al estilo de Houdini, Doug Henning presentaba su magia "hippie" y Harry Blackstone hijo hacía giras con su espectáculo de ilusionismo. Un joven comenzó su búsqueda del estrellato. Su nombre es Kardeen. Se vestía de modo parecido a Henning, practicó la magia de Blackstone y los escapes de Randi. Sin embargo, Kardeen tuvo un carisma totalmente propio.

Si bien su edad es un secreto, cuando Kardeen comenzó a aparecer en Toronto (Canadá) y sus alrededores, a principios de los setentas, parecía no tener más de veinte años. Empezó a actuar ante sus compañeros de clase y luego progresó al hacerlo en fiestas infantiles de cumpleaños. Para 1972 se le podía encontrar actuando en el Canadian National Exhibition, en Ontario Place y en otros lugares de entretenimiento de Toronto y sus inmediaciones. Él deseaba dejar la magia infantil para ejecutar la de adultos, y así empezó a presentarse en bares, tabernas universitarias y fiestas de adultos. Con el tiempo, empezó a abrir los conciertos de bandas de *rock and roll* por todo Canadá y los Estados Unidos.

En 1973 fue elegido para ser comparsa en el programa en cadena de televisión de ABC, "Bozo the Clown" (El payaso Bozo). En este programa Kardeen era el mago, contaba chistes, acompañaba a Bozo en sus actos y presentaba caricaturas. Tenía también su propio segmento, en el cual ejecutaba su magia ante el teleauditorio. Durante este periodo, la que llegaría a convertirse en la estrella de "Designing Woman" (Mujer intrigante), Delta Burke, en ocasiones fungió como su asistente.

Por el éxito que tuvo Bozo, Kardeen descubrió que se le llamaba constantemente. Actuó por todo el territorio de los Estados Unidos, Canadá, Sudamérica, Europa y las Antillas. Iniciaba las presentaciones de artistas como Tom Jones, Elton John, Genesis y The Guess Who.

En el año de 1976 su fama se incrementó, pues Kardeen se convirtió en el artista más veloz del escapismo en todo el mundo, en virtud de su escape de una camisa de fuerza reglamentaria en 24 segundos, proeza registrada en el *Libro Guinness de los récords.* El éxito del escape de la camisa de fuerza calificó a Kardeen incluso para viajar con el espectáculo Guinness on Parade (Guinness en desfile), que se presentó por todos los Estados Unidos.

Posteriormente, el *show* de Kardeen llegó a ser uno de los espectáculos de magia profesional más grandes del mundo. Kardeen no sólo realizaba sus famosos escapes, sino que también aparecía y desaparecía mujeres, tigres, aviones y toda una variedad de cosas. Su acto de destreza más renombrado, según se dice, fue en el Radio City Music Hall, donde hizo que un elefante flotara por el gigantesco escenario. En esta época, Kardeen era uno de los artistas del entretenimiento mejor pagados del mundo, y en ocasiones llegó a ganar más dinero en un minuto que la persona promedio en una semana.

A finales de 1977, Kardeen había realizado todos sus sueños relativos a la magia. Actuaba diariamente, tenía una columna de magia en la prensa y su propio programa de televisión. Había hecho comerciales, tenía su propia línea de productos de magia y un club de seguidores. Había llegado al pináculo de su carrera. Habiendo logrado todo esto, Kardeen comenzó a revaluar su propia vida. Deseaba darse un tiempo para sí mismo y averiguar qué dirección seguiría después. En la primavera de 1978, Kardeen presentó un espectáculo durante varias semanas en el Steel Pier de New Jersey. Cuando terminó el último espectáculo, no volvió ni a verse ni a saberse nada de Kardeen como ejecutante.

De 1978 a 1993, casi quince años, no se tuvo noticia de Kardeen. Conforme sus contemporáneos empezaban a retirarse de la magia, Kardeen comenzó a anhelar, otra vez, los escenarios. En la actualidad está tratando algo que parece imposible: desea lograr su regreso al mundo del espectáculo. Junto con el libro de magia que ha escrito y una baraja de naipes de su invención, está empezado a andar el largo camino de regreso al estrellato de la magia. Los capítulos finales relativos a Kardeen aún están por escribirse. Estén atentos a Kardeen y contemplen la historia al tiempo que se hace.

Nota: Kardeen es el nombre artístico del autor de este libro, Herbert L. Becker.

Escape de una camisa de fuerza

Indudablemente quien hizo más famoso este truco fue Houdini. Con los años, muchos grandes magos se han valido de este escape como medio para atraer la atención de los medios de comunicación. El sorprendente Randi siguió realizándolo al mejor estilo Houdini durante los años finales de los sesenta y principios de los setenta. Kardeen sorprendió al mundo en 1976, al darle un nuevo giro al escape. En lugar de ocupar mucho tiempo para escapar de la camisa de fuerza, retorciéndose y luchando por liberarse, Kardeen escapó en unos cuantos segundos. Tal fue el cambio efectuado sobre el truco, que el *Libro Guinness de los récords* decidió incluir los escapes rápidos en los libros de marcas.

No obstante, el escape es el mismo ya sea que se haga rápida o lentamente. Se invita a algunas personas del público a subir al escenario y se les permite examinar cabalmente la camisa de fuerza. Casi todas estas camisas tienen hebillas en la parte de atrás, mangas sin salidas para las manos y una hebilla con tirante en los extremos de las mangas. Se le coloca la camisa al mago y las hebillas de atrás se sujetan tan estrechamente como sea posible. Luego se le cruza de brazos por el frente y también éstos se aseguran firmemente a su espalda. Algunas camisas de fuerza cuentan además con un tirante de entrepierna, el cual que también se sujeta. Una vez que todas las hebillas y tirantes están asegurados, el mago es capaz de liberarse de la camisa de fuerza en muy poco tiempo.

✦ **EL SECRETO:** Puesto que no todas las camisas de fuerza son iguales, explicaremos el escape de un camisa básica; la de tipo más ordinario, usada en los hospitales.

La camisa puede conseguirse en tres tallas: chica, mediana y grande. Asegúrese de probarse las camisas para encontrar la talla correcta. Que no quede ni muy entallada ni muy holgada. Al momento en que las hebillas posteriores están estrechándose, no se quede ahí sin hacer nada; retuérzase mientras lo están sujetando. Cuando sus captores le pongan las hebillas para estrechar la camisa, acérquese a ellos conforme tiran. Haga respiraciones pequeñas y mantenga el estómago y el pecho lo más expandidos que pueda. Con éstos en expansión, será más difícil que lo aten demasiado estrechamente como para no poder moverse. Cuando hayan terminado con la parte posterior y la hebilla de entrepierna, seguirán con las hebillas de los brazos. Al cruzarle los brazos al frente, asegúrese que su brazo más fuerte quede arriba.

Oponga resistencia mientras ellos lo atan. No permanezca pasivo. Oponga la mayor resistencia que pueda, por supuesto sin permitir que nadie sepa lo que está haciendo. Cuando hayan terminado, pida que se aparten y haga una reverencia.

Cuando usted esté listo para iniciar el escape, mueva primero su brazo superior subiéndolo hacia el hombro opuesto. Para ilustrarlo mejor: si su brazo superior es el derecho, usted moverá su mano y brazo derechos hacia el lado izquierdo de su cuerpo. Luego, súbalo hacia el hombro izquierdo. En este momento, debe hacer que este brazo pase por encima de su cabeza. No se resista al movimiento con el otro brazo. Recuerde que el tirante los mantiene juntos. Si tira con los dos brazos, no llegará muy lejos.

Una vez que los brazos están sobre su cabeza, ya puede llegar a la parte baja y alcanzar la hebilla superior de la espalda. Por medio del material que cubre los brazos, sus manos podrán tomar la hebilla y soltarla. Ahora, ya sin la hebilla superior, extienda sus brazos hacia abajo hasta el tirante de la entrepierna y suéltelo también. En este momento ya podrá sacarse toda la camisa por encima de la cabeza y liberarse por completo.

ALGO MÁS: Un método opcional consiste en utilizar una camisa de fuerza con truco. Nunca use camisas de fuerza falsas. ¿Por qué? La mayoría de las camisas falsas tienen formas de escape secretas. A muchos magos les gusta no sólo que el auditorio examine por completo la camisa de fuerza, sino ponérsela a algún miembro del público y darle una oportunidad para que practique el escapismo. Si usted utiliza una camisa falsa, los miembros del público descubrirán el truco. Otra cosa, las tiendas de magia venden las camisas falsas hasta en 400 dólares. Las verdaderas, que puede usted conseguir en las casas de abastecimiento de los hospitales, pueden costar muy baratas, 50 dólares tal vez. Esta decisión no exige mucha reflexión.

De mujer a tigre

Esta ilusión se ha presentado por televisión, así como en los centros de espectáculos más famosos del mundo. Se lleva al centro del escenario una jaula que se desplaza con ruedas. Como la jaula está vacía, el público puede ver tanto a través como abajo de ella. Se pone una escalinata, dotada también de ruedas, y la asistente sube hasta la jaula. Todos pueden verla claramente. Se quita la escalinata y se cubre la jaula con una cortina. Luego la cortina se retira con un movimiento rápido y en el interior de la jaula ha aparecido un tigre. Los magos más jóvenes pueden sustituir al tigre por una persona disfrazada o llenar la jaula de payasos.

✦ EL SECRETO: En realidad, este efecto contiene dos trucos en uno. Lo más importante es la jaula, que está conformada básicamente por una caja que se apoya en patas con ruedas. Puede estar fabricada de modo que parezca una jaula, o bien que sea llanamente de metal y plástico, transparente por todos sus lados. El truco opera del mismo modo en ambos casos.

La jaula consta en realidad de dos partes: la que está a la vista del público y un área secreta separada, cubierta por una pared falsa. Cuando este equipo es llevado al escenario, el telón descansa justo donde termina la parte trasera de la jaula. Si bien el público puede ver su interior, lo que en verdad ve es la pared falsa, pintada del mismo color que el telón de fondo. Por lo general, la zona que queda detrás de este falso muro sólo tiene de 30 a 50 cm de profundidad.

El telón sólo cae hasta una altura muy cercana al piso de la jaula, de modo que el público puede ver a través de la parte de abajo del aparato. El tigre está detrás de esta pared falsa. También hay una puerta falsa en el frente de la jaula. El público no puede verla porque está al ras del piso de la jaula.

La puerta se abre hacia arriba dentro de la jaula. La asistente sube la escalinata y entra en ella. La jaula es cubierta por todos lados con una cortina. Mientras la cortina oculta la jaula, la asistente abre por completo la puerta falsa y al mismo tiempo suelta la pared falsa, la cual aún permanece entre ella y el tigre. La pared falsa está engoznada al piso de la jaula. Mientras la pared cae al piso de la jaula, la asistente se desaparece por la puerta falsa, escapando así de la jaula y del tigre.

La segunda parte del truco se encuentra en la escalinata. Aunque parece sólo tener un papel secundario en la ilusión, resulta ser el medio de escape de la asistente. La escalinata es engañosamente profunda. En su parte posterior tiene una puerta falsa, la cual se proyecta justamente abajo de la puerta falsa de la jaula. La asistente sale de la jaula a través de su puerta falsa y entra en la escalinata a través de su respectiva puerta falsa. Acto seguido, la escalinata es retirada. Durante todo este tiempo la atención del público se centra en la jaula, no en la escalinata. Ya fuera del escenario, la asistente sale de ésta y se prepara para la siguiente ilusión. La gente olvida, a menudo, que alguna vez hubo ahí una escalinata, pues ha entrado y salido de escena demasiado rápido.

Para presentar este truco es conveniente utilizar la totalidad del escenario. Evidentemente, una vez que la asistente se ha ocultado en la escalinata, usted puede darle vueltas a la jaula por todo el escenario para mostrar que ésta no esconde secretos. También la jaula puede ser transportada en sus ruedas hasta las candilejas antes que el mago retire la cortina y descubra al tigre. Siempre quita el aliento el efecto de ver al tigre en el sitio en el que estuvo la asistente. Mientras el público admira al tigre, el mago puede caminar alrededor de la jaula para probar que esta gran ilusión no se ha hecho con ayuda de espejos.

El mago puede embellecer aún más la efectividad de esta ilusión. Por ejemplo: cuando se quita la cortina de la jaula, el movimiento puede ir acompañado de una explosión y una

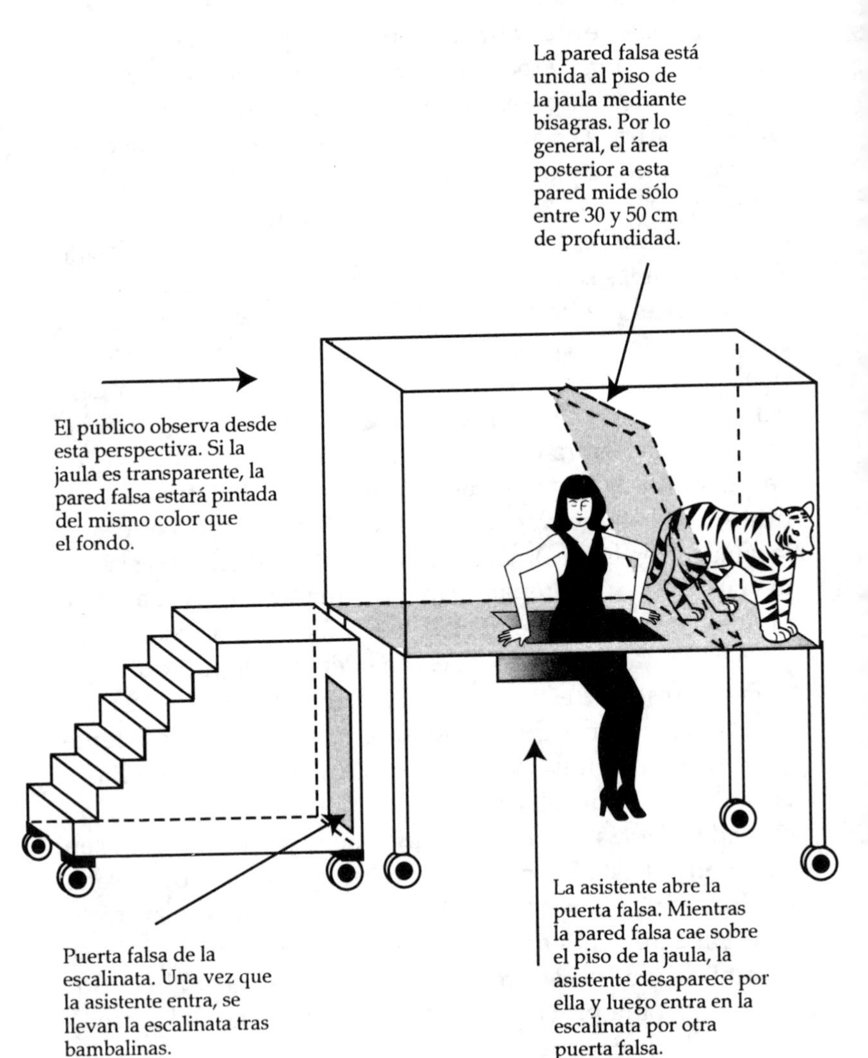
La pared falsa está unida al piso de la jaula mediante bisagras. Por lo general, el área posterior a esta pared mide sólo entre 30 y 50 cm de profundidad.
El público observa desde esta perspectiva. Si la jaula es transparente, la pared falsa estará pintada del mismo color que el fondo.
Puerta falsa de la escalinata. Una vez que la asistente entra, se llevan la escalinata tras bambalinas.
La asistente abre la puerta falsa. Mientras la pared falsa cae sobre el piso de la jaula, la asistente desaparece por ella y luego entra en la escalinata por otra puerta falsa.

cortina de humo. Disparar una pistola de salida justo cuando otro asistente aparta la cortina es otra forma de revestir de misterio la llegada del tigre.

Si utiliza payasos o gente disfrazada en lugar de un tigre, es conveniente que al menos sean dos las personas aparecidas. Si sólo aparece una, el público bien podría creer que la primera asistente simplemente se puso un disfraz.

En esta ilusión vemos la magia teatral en su máxima expresión.

SUGERENCIA: Muchas organizaciones de animales actores disponen de tigres y de otros animales entrenados. Los tigres están entrenados, han sido domesticados y realizan bien este tipo de actos.

Siegfried y Roy

cómo lograr lo imposible

La diversión de Las Vegas no estaría completa sin las magistrales actuaciones nocturnas del talentoso par, Siegfried y Roy, quienes escenifican una presentación tan espectacular que hace ver pequeñas a todas las demás. No obstante su meteórico éxito, ellos empezaron desde muy abajo.

Siegfried Fischbacker y Roy Horn se conocieron en 1960; Siegfried trabajaba como mago en un crucero, mientras que Roy era mozo de ese mismo barco. A Roy le fascinaba la magia que hacía Siegfried y se hizo amigo suyo. En esa época, el espectáculo de Siegfried era un revoltijo de trucos comprados en las tiendas de magia.

En su tierra natal, Roy tuvo como mascota un guepardo. Roy retó al mago a desaparecer al gatote y volverlo a aparecer, tal como lo hacía con conejos. Siegfried aceptó el reto. En los cruceros no se permitía que viajara ese tipo de animales, pero Roy de todos modos se las ingenió para introducirlo clandestinamente. Siegfried y Roy practicaron con el felino hasta que la rutina pareciera un acto de magia. Aunque ésta aún no estaba muy acabada, a los turistas les encantó el espectáculo. No así al capitán del barco.

Lo que pasó después fue que Roy quedó cesado de inmediato por romper las reglas. Sin embargo, el espectáculo había sido tan exitoso que, con el tiempo, se le concedió un permiso que permitió la estancia del gatote a bordo, al igual que la de Siegfried y Roy, quienes ahora actuaban en equipo.

Durante los cinco años siguientes, añadieron un león y una pantera al espectáculo que presentaban en un barco crucero que salía de Alemania. En esta época Roy aprendió a hacer magia y divertir al público mientras Siegfried se volvía un gran admirador de los grandes felinos. Tras sus actuaciones en el circuito de los cruceros, el equipo empezó a presentarse en distintas partes de Europa, apareció en muchos programas de televisión y llevaron a cabo su acto ante la realeza europea. Su empleo de felinos de gran tamaño era único y causaba sensación en todos los sitios donde se presentaba.

Habiendo escuchado que los Estados Unidos eran la capital del éxito, el par hizo maletas y se dirigió a ese país. El éxito les llegó rápidamente. Ahora su acto era enorme y utilizaba muchos animales, luces, música... y, por supuesto, magia. Ese tipo de espectáculos de gran escena son comunes en Las Vegas, razón por la cual se dirigieron a la ciudad que no duerme. Con el tiempo llegaron a encabezar el elenco del Mirage, lugar en el que han estado desde entonces. Para ver su acto nocturno, los admiradores pagan hasta ochenta dólares, casi el doble de lo que cuesta la mayoría de los otros espectáculos de Las Vegas. Aun así, el suyo registra un lleno constante.

Razón de sobra para ello. Su espectáculo está engalanado de rayos láser, vestuarios sorprendentes, asombrosos efectos de luz, humo, espejos y seis enormes felinos. La parte electrónica está totalmente computarizada. Los bailarines y demás participantes actúan con enorme precisión y acompasamiento durante todo el espectáculo. Se ha informado que la construcción de su escenario cuesta 50 millones de dólares y se dice que su contrato especifica que se le pagará al equipo cerca de 60 millones en cinco años.

En el espectáculo, se considera que Siegfried es el mago y Roy el asistente. La pareja, sin embargo, se considera a sí misma como una sociedad de iguales. De hecho, durante una gira intercambiaron sus papeles de mago y asistente sólo para variar el ritmo.

Algunos de sus trucos favoritos son: el baúl de sustitución, el tigre que se convierte en el asistente, el asistente que se convierte en león y el acto del vuelo, en el cual Siegfried hace que Roy se eleve hasta el techo.

Siegfried y Roy han actuado juntos durante más de treinta años y su acto en el Mirage sigue creciendo. Su futuro es aún más brillante. Quizá hagan nuevas giras, o incluso programas especiales de televisión. Para ellos nada parece imposible.

Cómo quitar la parte media

En la actualidad esta ilusión es muy popular entre los magos de mayor éxito. Es de la familia de la mujer cortada por la mitad y de la mujer mal armada.

Esta ilusión se ha presentado con rayos láser y a veces se hace con el mago y no con el asistente. Es un rompecabezas interesante, no importa cómo se realice. A mitad del escenario hay una caja parecida a la que se usa para cortar a la mujer en dos. Una persona se recuesta en la caja; su cabeza y sus pies sobresalen por los extremos opuestos.

Se abren unos paneles laterales para mostrar el perfil del cuerpo del ocupante de la caja. Después de insertar grandes cuchillas por debajo del cuello y apenas por arriba de los tobillos, la sección del medio se retira de la mesa. Luego, para deleite del ejecutante, las secciones de los pies y la cabeza lentamente comienzan a acercarse una a la otra hasta que los pies parecen salir del cuello del sujeto. Mientras esto ocurre, los pies se mueven y la cabeza puede hablar y sonreír. Al final, pies y cabeza vuelven a los extremos originales de la mesa, la sección central regresa a su sitio y el sujeto sale de la caja sin ninguna muestra de agotamiento.

✦ **EL SECRETO:** Como la mayoría de las mesas mágicas, ésta no es tan delgada como parece. En esta ilusión, el sujeto entra a la caja y con sus propios pies empuja un par de pies falsos, colocados dentro del otro extremo de la caja. Al ser empujados estos pies falsos, que han estado dentro de la caja, sobresalen, dando la apariencia de que son los pies de la persona. Cuando se abren los paneles laterales, el brazo del sujeto es la única parte del cuerpo que realmente pertenece a la persona que está dentro de la caja. Lo que parecen ser el torso, las piernas y los pies sólo es una falsificación. El verdadero cuerpo de la persona cae dentro de la cavidad de la mesa, misma que el público no puede ver.

Luego de cerrarse las puertas laterales, el sujeto se deja caer por completo en el hueco de la mesa especial. Mientras las secciones de la cabeza y los pies parecen juntarse, el sujeto en realidad se está deslizando por una correa transportadora hacia los pies mecánicos. El sujeto oculto en la parte de abajo puede controlar los pies con facilidad.

Cuando se vuelven a colocar todas las secciones en su sitio, el asistente tira de los pies falsos para volver a meterlos en la caja. Los paneles laterales cubren este movimiento. Luego, el asistente sale de la caja para unirse al mago y juntos hacer su reverencia.

Este es un gran truco, a prueba de ángulos, parecido al de la mujer mal armada, si bien tiene un toque más moderno e impactante. La mayor parte del tiempo, el sujeto aparenta estar incómodo durante su proceso de "acortamiento".

No deje que la sencillez de este truco lo desanime. Éste puede engañar por completo a su público.

De tigre a asistente

Aunque Siegfried y Roy ejecutan este truco de muchas formas distintas, esta versión es una de las más socorridas para presentar el acto de conversión de tigre a asistente.

Una jaula es transportada al centro del escenario. Descansa sobre una base con ruedas. La jaula es lo suficientemente grande como para albergar en su interior a un rugiente tigre siberiano de cerca de 360 kg. La jaula se cubre por completo con una tela grande. Luego unos tableros, que están unidos a la base, se levantan por todos los lados, ocultando la jaula cubierta. Una vez levantados y asegurados, unas cadenas que cuelgan del techo son unidas a la tapa de la jaula. La jaula entera, colgando de las cadenas, es levantada por encima de los tableros, quedando la base en el escenario. Luego el mago retira bruscamente la tela para que el público vea que el tigre se ha ido y la jaula está vacía. En ese mismo instante caen los tableros de madera que conforman los lados de la base y la asistente sale repentinamente del interior de la base. Momentos después, el mago empujará un baúl hacia el centro del escenario. Cuando la tapa del baúl se abra súbitamente, el tigre desaparecido saldrá de un brinco al escenario.

✦ EL SECRETO: Como el acto de la jaula del tigre que explicamos en otra parte de este libro, éste también contiene dos trucos en uno. El primero está en la jaula, que tiene dos métodos para desaparecer al tigre. Muchos magos se valen del principio que podríamos llamar "salida del escenario", en el cual el animal sale realmente de la jaula por la parte de atrás, a través de la cortina, sin que lo advierta la concurrencia. Esto tiene lugar al momento de cubrir la jaula: el panel trasero de la jaula cae y sirve como pasarela o "puente levadizo", que se abre contra el telón de fondo. El tigre puede salir del escenario a través de una pequeña abertura en el telón.

Todo permanece oculto a la vista del público tanto por la tela puesta sobre la jaula como los tableros de la base que el mago coloca en su sitio. Cuando la caja es levantada por los aires, el tigre ya no está ahí desde hace mucho rato.

Otro método consiste en usar una pared falsa dentro de la jaula (véase De mujer a tigre), la cual ocultará al tigre de la vista del público una vez que se quite la tela que cubre la jaula. El auditorio creerá que la jaula está vacía porque verá la silueta de una jaula vacía proyectada contra el telón de fondo. En realidad, la silueta es la proyección de una película contra la cortina. Dentro de la jaula todavía está el tigre, oculto del público por la pared falsa (véanse las ilustraciones).

1) Tigre dentro de la jaula.

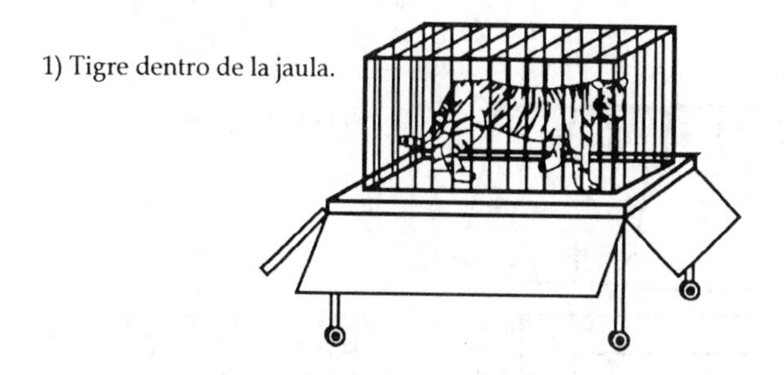

2) Jaula cubierta.

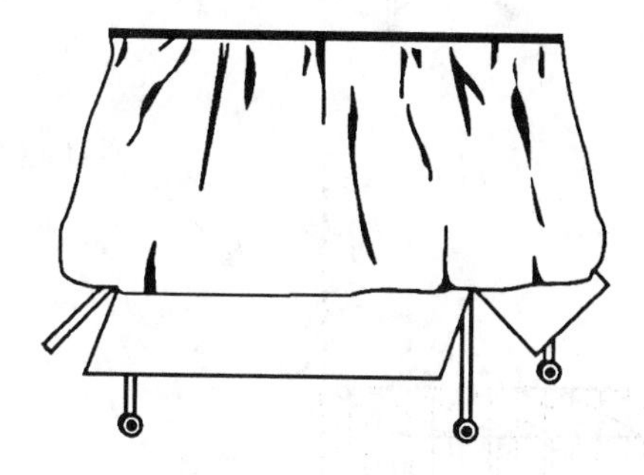

3) La jaula se cubre con tapas desde la base.

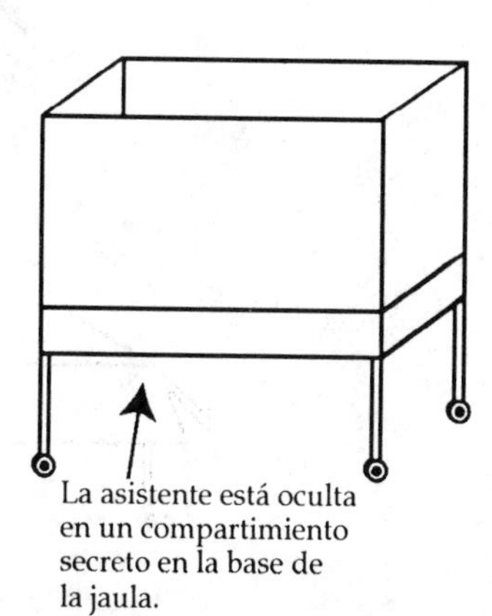

La asistente está oculta en un compartimiento secreto en la base de la jaula.

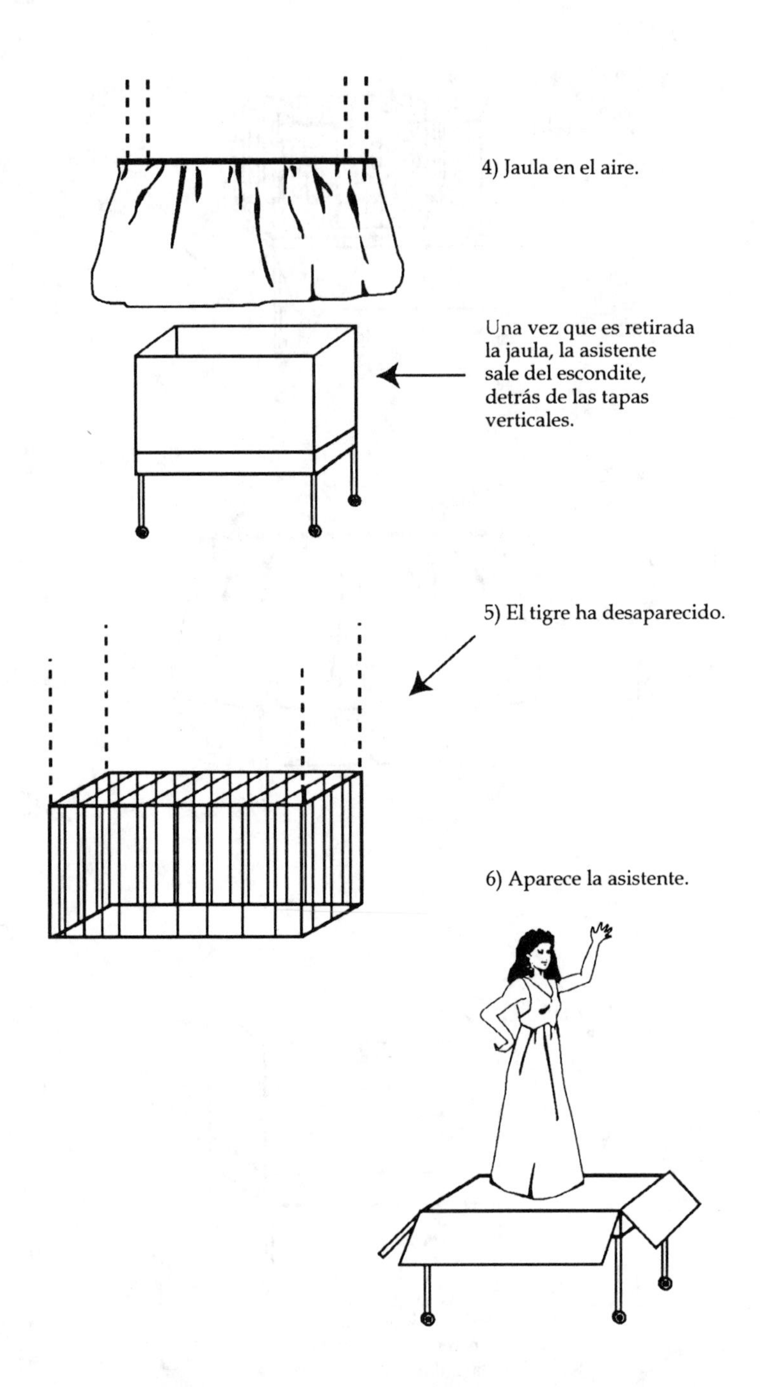
4) Jaula en el aire.
Una vez que es retirada la jaula, la asistente sale del escondite, detrás de las tapas verticales.
5) El tigre ha desaparecido.
6) Aparece la asistente.

(variante)

Variante: el tigre permanece en la jaula, pero el público no lo puede ver ya que hay una falsa pared que está dentro de la jaula.

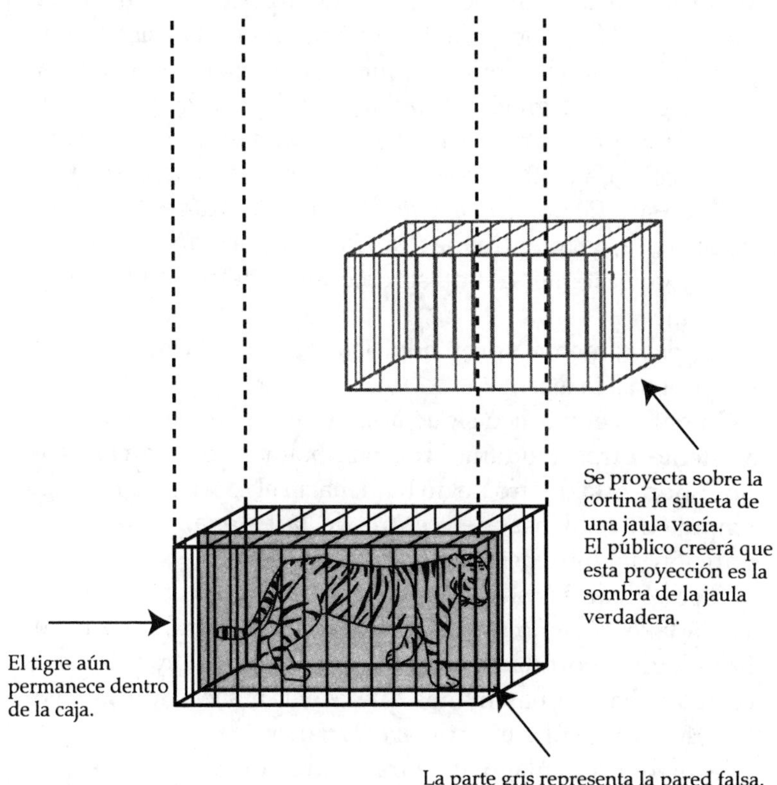

Público.

En cualquier caso, el tigre o un doble del tigre es colocado dentro del baúl, a la espera de que el mago lo saque de ahí y lo lleve al centro del escenario para cerrar el acto.

La base cuenta con una sección secreta, apenas abajo de la superficie. Está hecha de tela negra y es apenas lo suficientemente grande como para que quepa en ella la asistente. El público no puede verla porque la base parece engañosamente delgada, gracias a las maravillas de la pintura de cromo y negra. Lo que ocurre en realidad es que la asistente está recostada justo debajo de la superficie de la base, abrigada en su sitio por la tela negra. Cuando la jaula es levantada de su base, y mientras las tapas aún permanecen levantadas, la asistente sale de su escondite, detrás de las tapas verticales.

En el momento apropiado, las tapas de la base caen y descubren a la asistente.

Mientras el público sigue aplaudiendo la aparición de la asistente, otros ayudantes tras bambalinas empujan al tigre, que ahora está dentro de un baúl, hacia el escenario. El mago empuja el baúl hasta el centro de la escena, para la reaparición del tigre desaparecido.

Si, en lugar de esto, el tigre estuviera oculto en la jaula levantada, ésta ya no estará a la vista del público, pues la cubrirán unas cortinas. La jaula será bajada detrás de estas cortinas, hasta unas manos que esperan sacar al tigre, colocarlo en el baúl y llevarlo al escenario.

A menudo, el mago utilizará bombas de humo y destellos en el momento en que retire bruscamente la cortina que cubre la jaula colgante. El humo y los destellos abarcarán tanto la parte alta como la baja del escenario para la aparición de la asistente.

Esta ilusión debe ejecutarse en un escenario especialmente diseñado para el truco. Esto, debido a la necesidad de contar con un sistema de poleas para las cadenas que operan para levantar la jaula.

Con frecuencia, las personas que ocupan los asientos de la extrema izquierda y la extrema derecha ven al tigre escapar de la jaula y pasar por el telón. Pero usted no puede engañar a toda la gente en todas las ocasiones. La mayor parte del auditorio verá una gran ilusión.

Una última palabra

Existe una enorme controversia alrededor del tema archisecreto del cual trata este libro. Sin embargo, no estaba preparado para la multitud de reacciones que he hallado desde que se filtró la noticia de su publicación. Desde la incredulidad hasta el entusiasmo, desde el disgusto e indignación hasta la curiosidad y el suspenso, millones de aficionados a la magia y el público curioso claman por saber la manera en que las más grandes estrellas de la magia de todos los tiempos realizan los trucos más sorprendentes y deslumbrantes.

La industria de la magia se siente amenazada por la publicación de este libro. Los magos sentirán que sus medios de vida están en juego. Pero habrá otros que reconocerán que la revelación de estos secretos no significa el fin de la mística que rodea la magia. El conocimiento del público se verá reforzado, de modo que la gente estará segura de que disfrutará plenamente el truco al momento de su realización.

La intención de este libro no es tomar adultos que creen que la magia es *real* y destrozarles la inocencia revelándoles que la magia es una bien orquestada *ilusión*. No, este libro ha sido escrito para ayudar a aquellos que desean poder decir: "Vaya, conque así se hace esto".

Al escribir este libro he intentado levantar el velo del misterio y exponer la magia como una habilidad de ejecución y no como un arte del secreto. Como decía Walter Gibson: "La magia ya no debe ser transmitida de maestro a discípulo". También yo considero que lo subrepticio ni enriquecerá ni glorificará la magia, sino que la mantendrá en el oscurantismo.

Contra la creencia popular, la verdad es que no existe un "juramento de silencio del mago". Hoy vivimos la era del porqué y el cómo. La gente quiere saber. Esta obra pretende ser el libro definitivo de la magia y sus secretos. Se ha hablado mucho de él y su carácter, tanto en pro como en contra. Me gustaría saber cuál es la opinión de usted.

Envíeme unas líneas contándome qué piensa de la magia. Si hay algunos otros trucos o ilusiones de los cuales usted quiera saber, no dude en preguntar. Me encantará seguir esclareciendo sus dudas más adelante...

Todos los secretos de la magia al descubierto
Herbert L. Becker
c/o Lifetime Books, Inc.
2131 Hollywood Boulevard
Hollywood, Florida 33020

Índice

A

B

C

D

ESTA EDICIÓN DE SE TERMINÓ DE IMPRIMIR
EL 17 DE SEPTIEMBRE DE 1997 EN LOS
TALLERES EDICIONES FA-BC
SUR 117 NO. 2208 COL. JUVENTINO ROSAS
08700 MÉXICO, D.F.